a arte de dormir

Copyright © Rob Hobson

Design de capa e miolo
Steve Wells

Editoração eletrônica
Rejane Megale

Revisão
Maria Helena da Silva
Lígia Pereira Pinto

Adequado ao novo acordo ortográfico da língua portuguesa

CIP-BRASIL. CATALOGAÇÃO-NA-PUBLICAÇÃO
SINDICATO NACIONAL DOS EDITORES DE LIVROS, RJ

H599a

Hobson, Rob
 A arte de dormir / Rob Hobson ; tradução Miguel Damian Ribeiro Pessoa ; ilustração Steve Wells. - 1. ed. - Rio de Janeiro : Gryphus, 2020.
 192 p. : il. ; 19 cm.

 Tradução de : The art of sleeping
 ISBN 978-65-86061-09-3

 1. Sono - Aspectos da saúde. 2. Sono - Aspectos fisiológicos. 3. Distúrbios do sono. 4. Privação do sono. 5. Insônia. 6. Estilo de vida. I. Pessoa, Miguel Damian Ribeiro. II. Wells, Steve. III. Título.

20-66463	CDD: 613.794
	CDU: 613.79

Gryphus Editora
Rua Major Rubens Vaz, 456 – Gávea – 22470-070
Rio de Janeiro – RJ - Tel: +55 21 2533-2508 / 2533-0952
www.gryphus.com.br– e-mail: gryphus@gryphus.com.br

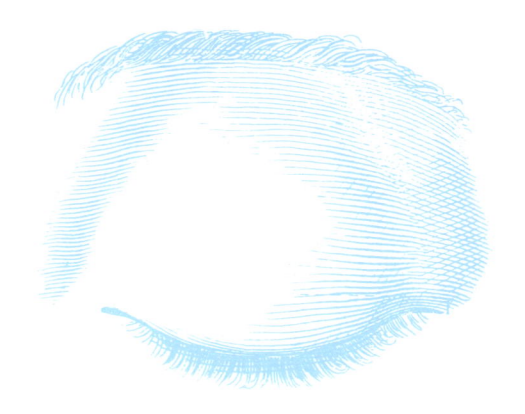

Rob Hobson

Tradução de Teresa Dias Carneiro

GRYPHUS

Rio de Janeiro

SUMÁRIO

página 12 INTRODUÇÃO

página 17 CAPÍTULO UM: DORMIR
- Por que dormir?
- O ritmo circadiano
- O relógio biológico
- Arquitetura do sono
- Sonhar
- A matéria dos pesadelos
- Mente acima da matéria?

página 53 CAPÍTULO DOIS: COCHILAR
- A arte de cochilar
- Cotovia ou coruja?
- Ciclos de sono

página 73 CAPÍTULO TRÊS: HORA DE DORMIR
- Querido diário

página 83 CAPÍTULO QUATRO: COMPORTAMENTO
- Hora de apagar as luzes!
- Desintoxicação digital
- Acalme-se
- Tome um banho
- Download cerebral
- Fique confortável
- Continue caminhando

página 105 CAPÍTULO CINCO: AMBIENTE
- Bagunça causa estresse
- Enrolando-se nos lençóis

página 117 CAPÍTULO SEIS: DIETA
- Coma bem para dormir como um neném
- Comidas que fazem mal
- Comidas que fazem bem
- Acabe com maus hábitos
- Ervas e suplementos
- Planejamento é tudo
- Tônicas do sono

página 153 CAPÍTULO SETE: ATENÇÃO PLENA
- Perdendo o sono por causa disso?
- Relaxe todos os músculos
- A matéria dos sonhos
- Não se esqueça de respirar

página 177 CAPÍTULO OITO: RITUAL
- A arte de dormir

*Dedicado a todos
que já lutaram para
dormir bem*

introdução

SONHANDO COM DORMIR

Muitos de nós passamos um terço da vida dormindo, mas nem todos dormem bem. A quantidade de tempo que dormimos e a qualidade do nosso sono diário podem levar a cansaço e fadiga, cujos efeitos se infiltram em todos os aspectos da vida cotidiana, afetando nossas emoções, capacidade de foco em tarefas diárias, apetite, relacionamentos e resgate de memória.

Muitas pessoas subestimam a importância de dormir e convivem com os sintomas diários da fadiga, disfarçando-os em vez de lidarem com a raiz da questão. Assim, a privação de sono se tornou um problema que é facilmente ignorado, mas, se dormir mal é deixado sem tratamento, isso pode gerar implicações sérias em doenças que podem causar impacto à sua saúde a longo prazo.

Dormir é o estado natural de descanso em que os olhos estão fechados, os músculos relaxados, o sistema nervoso está inativo e a consciência está praticamente suspensa.

Este é um período vital de restabelecimento e reparo para o corpo e um tempo em que o cérebro tem a oportunidade de processar informações, memórias e experiências.

Dormir é essencial e, sem dúvida, é um dos pilares centrais de uma boa saúde. Enquanto o compromisso com se alimentar bem e se exercitar regularmente, no fim das contas, faz parte das escolhas pessoais e da tomada de decisão consciente, dormir é influenciado por fatores que às vezes estão fora de nosso controle. Você pode fazer um almoço saudável, pode encontrar o ímpeto de ir até a academia para uma malhação matutina, mas deitar-se na cama e dormir pode ser um pouco mais complicado.

Muitos de nós são vítimas da cultura 24 horas em que vivemos, devido à forma com que as demandas e expectativas de trabalho e da vida geral do dia moderno, bem como o impacto da mídia social, tanto influenciam o jeito com que levamos nossas vidas. Esta maneira de viver pode cobrar seu preço em nossa habilidade de dormir bem e, enquanto talvez pense que está lidando bem com sobreviver dormindo tão pouco, pode acreditar em mim, você não está. Muitos de nós desenvolveram estratégias para funcionar diariamente (aquela terceira xícara de café antes das 11h da manhã soa familiar?) em vez de dar um passo atrás e lidar com o verdadeiro problema, que é não conseguir dormir.

Após anos lutando contra a insônia, tornei-me particularmente interessado em pesquisar as diferentes formas de procurar alcançar o melhor sono possível e um dos melhores conselhos que posso oferecer é que nenhuma maneira única serve para todas as pessoas.

Neste guia pessoal e prático, que faz referência às últimas pesquisas científicas e opiniões de especialistas, vou fatiar a arte de dormir em três pilares principais: *Behaviour* (Comportamento), *Environment* (Ambiente) e *Diet* (Dieta), o que gera o acrônimo BED (que, em português, quer dizer "cama"). Quando se entende qual é o seu estilo de vida diário, é possível desenvolver um ritual de sono pessoalmente adequado.

Minha batalha pessoal com o sono foi o que me levou a escrever *A arte de dormir*, entretanto, como pretendo que este livro sirva para todos, quer você esteja batalhando com a insônia de uma forma parecida, procurando uma melhor qualidade de sono, ou simplesmente esteja interessado na mecânica de se dormir bem. Espero que lendo estas páginas você possa ser capaz de alcançar o sono de seus sonhos.

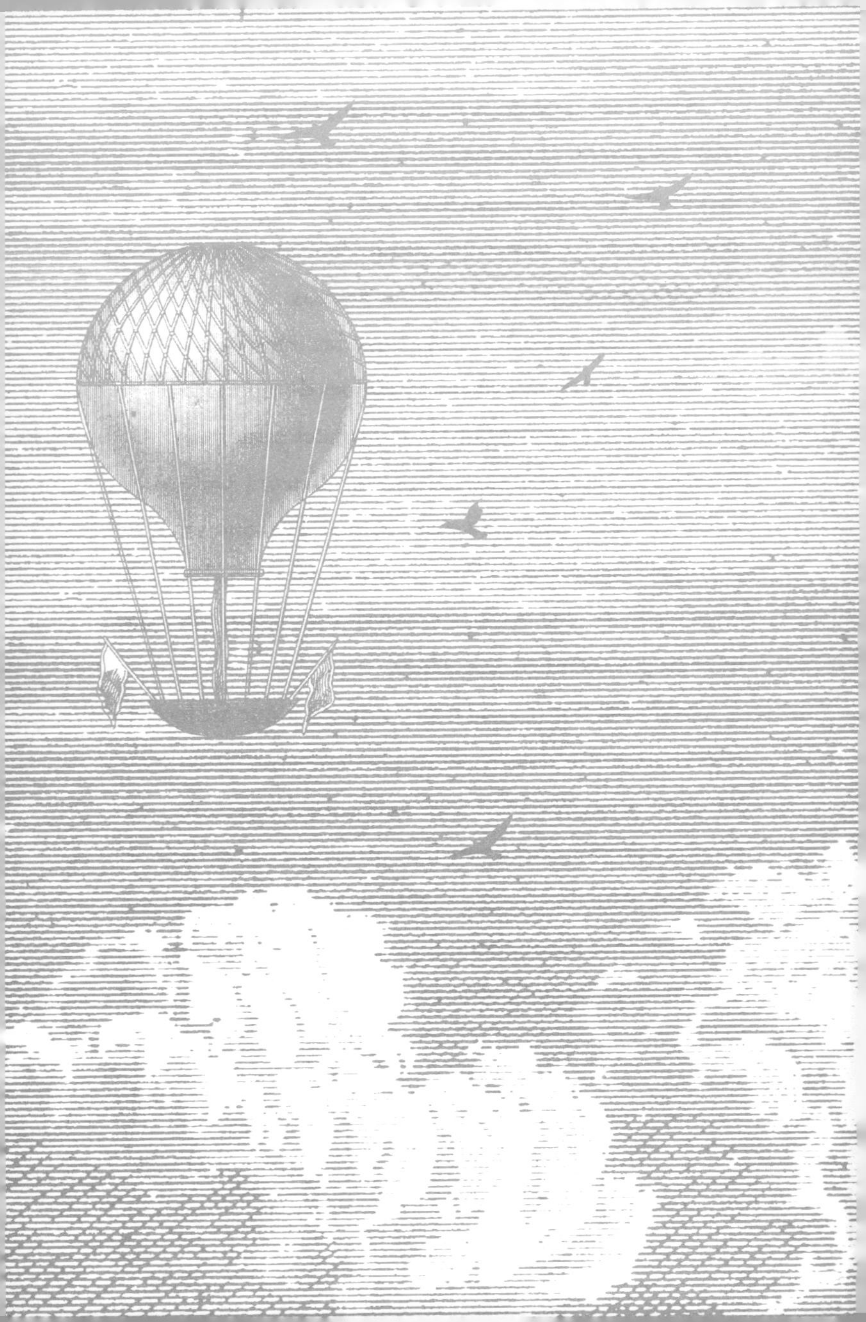

CAPÍTULO UM

dormir

"Dormir é aquela corrente de ouro que une saúde aos nossos corpos."

Thomas Dekker

Dormir é um estado de corpo
e mente que tipicamente exige
várias horas toda noite,
em que o sistema nervoso
está inativo, os olhos fechados,
os músculos de postura
relaxados e a consciência
praticamente suspensa.

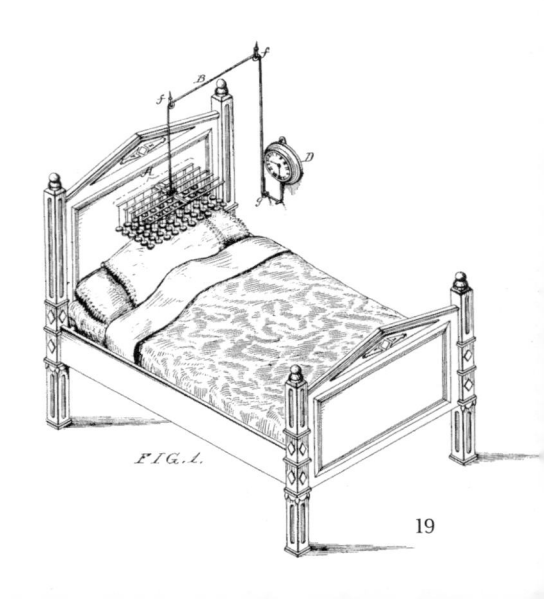

- Cochilo
- Soneca
- Sesta
- Apagão
- Pestana

- Repouso
- Sono
- Fechar de olhos
- Dormitar
- Descanso
- Ronco

Dormir é considerado um tempo de descanso, mas seu corpo está trabalhando duro para garantir que mantenha uma boa saúde.

O cérebro processa informações, memórias e experiências.

O hormônio de crescimento aumenta para ajudar a reparar tecidos corporais.

POR QUE DORMIR?

- Proteínas são restauradas em um ritmo acelerado para dar suporte ao crescimento e a reparos.

- A produção de células epiteliais, imunológicas e hemácias aumenta.

Dormir é essencial para a vida diária e influencia muitas áreas que geram impacto na nossa saúde e bem--estar cotidianos, incluindo:

Atenção

Concentração

Criatividade

Intuição

Aprendizado

Memória

Decisão

Emoções

Relacionamentos

O RITMO CIRCADIANO

Já se perguntou por que se sente com sono por volta do mesmo horário toda noite ou acorda na mesma hora todo dia? Isso simplesmente é parte do trabalho do seu ritmo circadiano.

Ritmos circadianos são, grosso modo, ciclos de 24 horas que ocorrem nos processos fisiológicos de seres vivos – inclusive plantas, animais, fungos e cianobactérias – e existem em todas as células do corpo, ajudando a criar padrões de sono ao gerenciar o fluxo de hormônios e outros processos biológicos. Ritmos circadianos são controlados pelo relógio interno do corpo e são influenciados por fatores ambientais como luz e temperatura; o ciclo de dormir/acordar é um exemplo de ritmo circadiano relacionado à luz que determina nosso padrão de sono.

21h — Início da secreção de melatonina

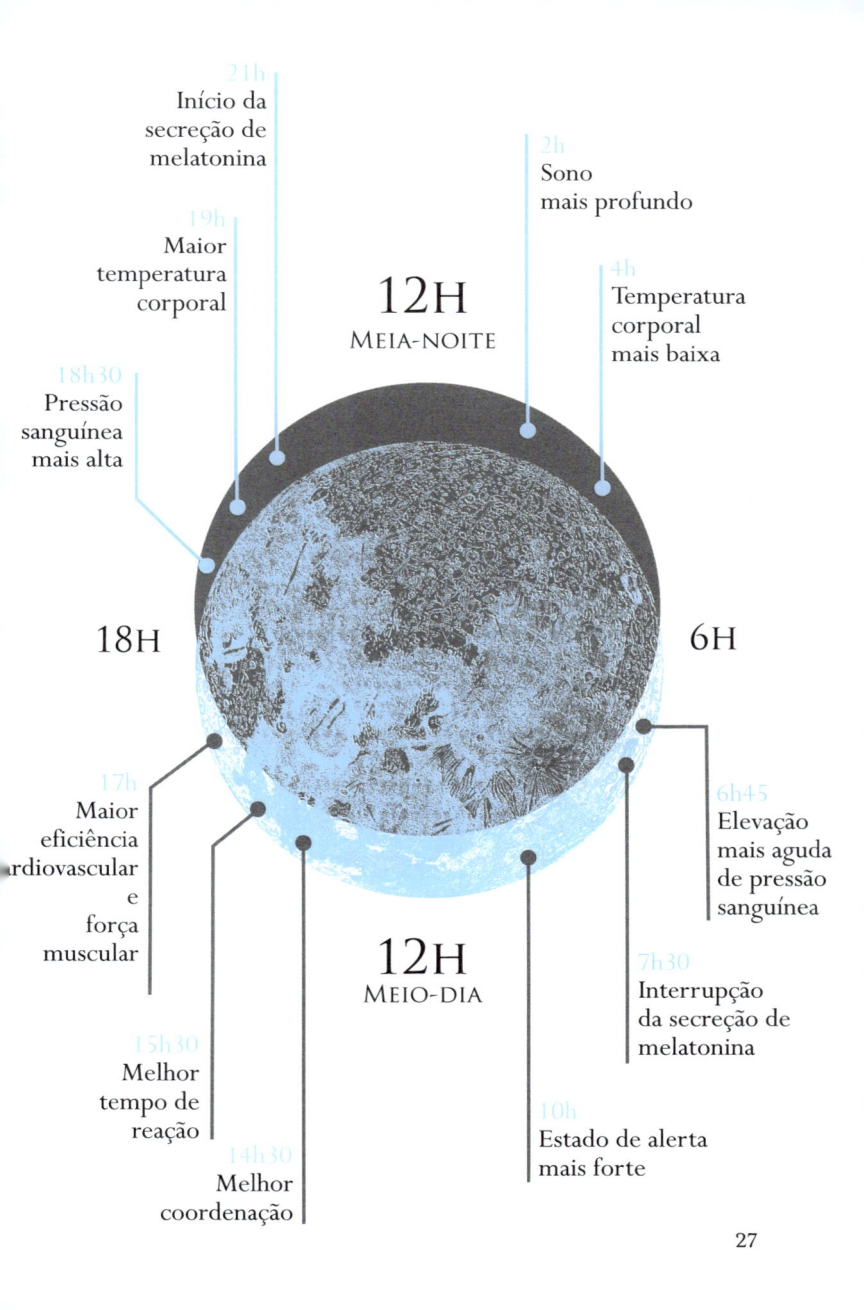

19h — Maior temperatura corporal

18h30 — Pressão sanguínea mais alta

2h — Sono mais profundo

4h — Temperatura corporal mais baixa

12H
Meia-noite

18H

6H

17h — Maior eficiência cardiovascular e força muscular

15h30 — Melhor tempo de reação

14h30 — Melhor coordenação

6h45 — Elevação mais aguda de pressão sanguínea

7h30 — Interrupção da secreção de melatonina

10h — Estado de alerta mais forte

12H
Meio-dia

Acredita-se que o humano moderno teve origem logo ao norte da Linha do Equador, na África, que é uma região de 12 horas constantes de luz solar, e pesquisas mostraram como a evolução causou impactos no nosso relógio biológico. Quando humanos migraram para uma amplitude maior de latitudes, tornaram-se expostos a variações na duração da luz do dia, o que, imagina-se, influenciou seus relógios biológicos.

Estes ritmos estão impregnados em nós e produzem a própria matéria do nosso ser. Onde quer que viva, os processos em seu corpo são guiados pelo fato básico de que a cada 24 horas a Terra dá uma pirueta em torno do próprio eixo, criando um padrão fixo de luz do sol e escuridão. A noção de que os ponteiros deste relógio continuam girando independentemente de o que está acontecendo em nossas vidas é bastante reconfortante.

Sob circunstâncias normais, as maiores quedas de energia ocorrem no meio da noite (em algum momento entre as 2h e as 4h da manhã) e logo após a hora do almoço (entre 1h e 3h da tarde), que é quando muitas pessoas anseiam por um cochilo. Porém, estes horários podem variar um pouco dependendo do seu tipo cronológico, que define se você é uma cotovia da manhã ou uma coruja noturna, o que explicarei depois.

A privação de sono pode fazer com que essas flutuações entre a sonolência e o alerta fiquem mais perceptíveis, então, se você dorme bem, é menos provável que sinta as quedas com tanta força quanto alguém que não dorme o bastante.

Rotina é essencial em nossas vidas diárias, já que ajuda a nos mantermos em sincronia com o fluxo natural de nossos ritmos circadianos. Ir dormir e acordar no mesmo horário todo dia manterá seu corpo em um estado uniforme de fluxo, sustentando níveis de energia e garantindo uma regeneração adequada por todo o corpo. Dormir de forma errática ou irregular vai inevitavelmente deixá-lo com sensação de fadiga e fora de eixo, enquanto o efeito da luz também pode influenciar seu relógio biológico e seu ritmo circadiano.

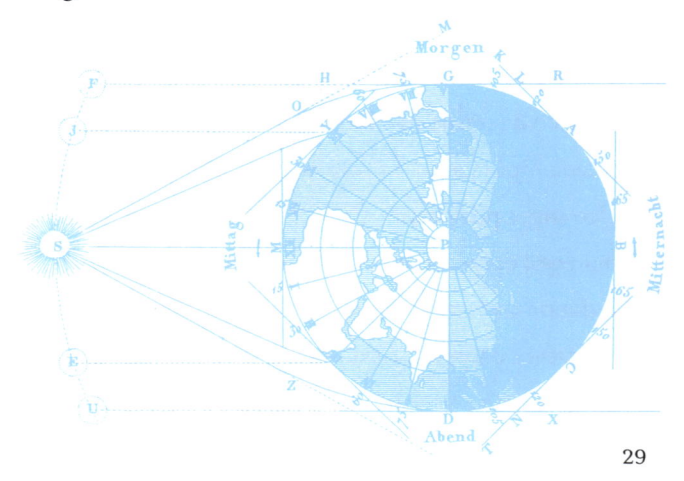

O RELÓGIO BIOLÓGICO

Sim, isso realmente existe! Pode-se pensar no ritmo circadiano como um ciclo de eventos estabelecidos trabalhando por trás de seu cérebro, mas é a ação complexa de caminhos nevrálgicos em resposta à luz que garante que estes eventos aconteçam como que marcados em um relógio.

A exposição à luz estimula um caminho nevrálgico da retina do olho até uma área no cérebro chamada hipotálamo. Lá, um centro especial chamado núcleo supraquiasmático (NSQ) trabalha como um relógio que desperta um padrão regulado de atividades que afetam o corpo inteiro, como a regulação da temperatura corporal, ritmo cardíaco, pressão sanguínea e a liberação de hormônios que nos ajudam a dormir.

MELATONINA
O HORMÔNIO DO SONO

A melatonina é um hormônio natural produzido pela glândula pineal do nosso corpo e é o hormônio-chave que conduz o nosso ciclo entre dormir/acordar.

Esta é uma glândula do tamanho de uma ervilha e está localizada acima do meio do cérebro; durante o dia, a pineal está inativa, mas quando o sol se põe e chega a escuridão, a pineal é "ligada" pelo NSQ e começa a produzir melatonina ativamente, que é lançada em nosso sangue. Normalmente, isso acontece entre as 9h e as 11h da noite. Como resultado, os níveis de melatonina crescem agudamente no sangue nesse horário e você começa a se sentir menos alerta, fazendo com que dormir se torne mais convidativo.

Os níveis de melatonina no sangue se mantêm elevados por cerca de 12 horas – durante toda a noite – até que surja a luz de um novo dia, quando então decaem para os níveis baixos do período diurno por volta das 9h da manhã. Os níveis diurnos de melatonina mal são detectáveis.

CORTISOL: O HORMÔNIO DO DESPERTAR

Quando exposto à primeira luz do dia, o "relógio" no NSQ começa a exercer funções como elevar a temperatura corporal e liberar hormônios de estímulo como o cortisol, produzido pelas glândulas adrenais, que também encorajam a elevação do hormônio do "sentir-se bem", a serotonina. O NSQ retarda a liberação de outros hormônios como a melatonina (que é associada à duração do sono) até muitas horas após a chegada da escuridão.

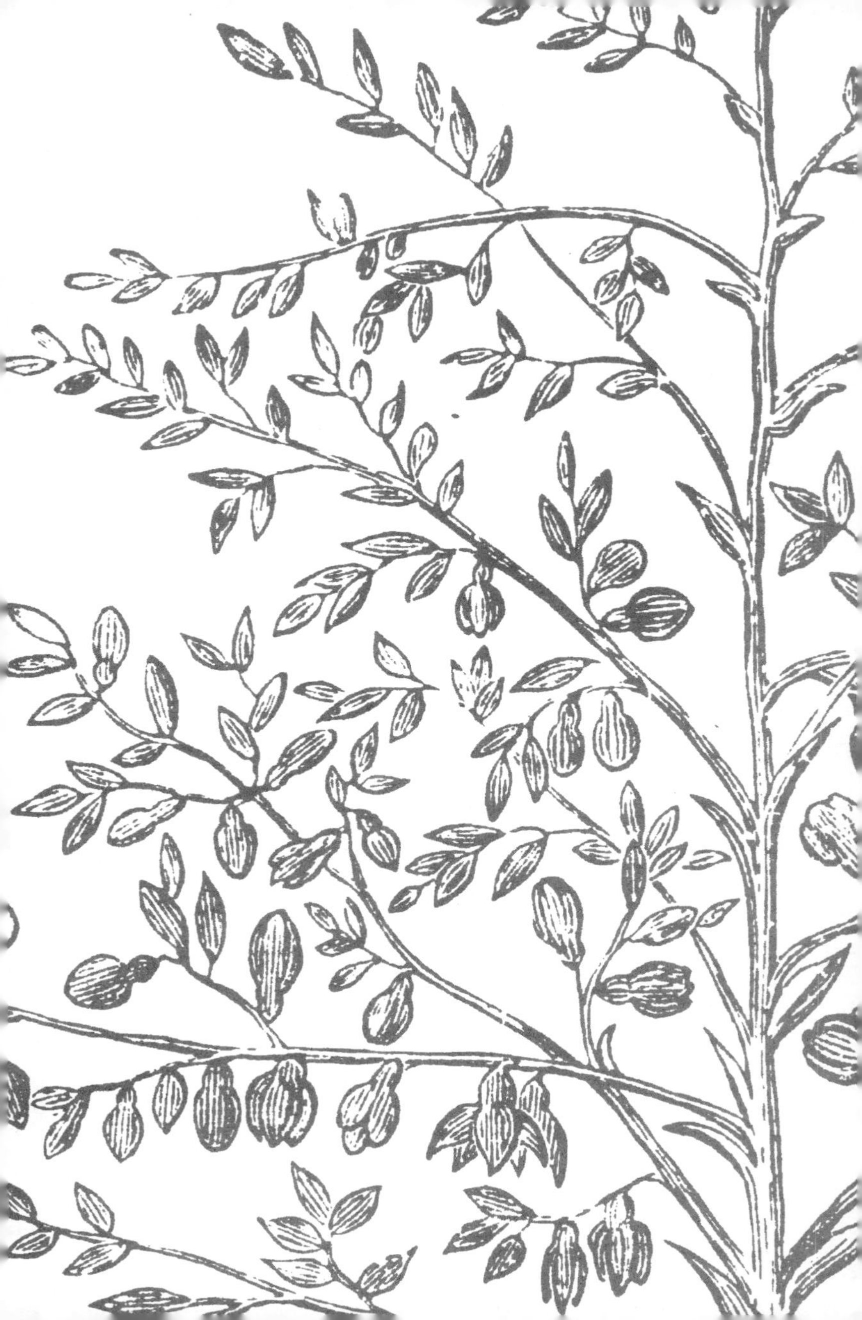

ARQUITETURA DO SONO

A expressão "arquitetura do sono" se refere à organização estrutural do sono normal. Da mesma forma com que o ritmo circadiano pode ser caracterizado como uma série de ações ocorrendo em um ciclo, também pode a estrutura do sono, que ocorre através de diferentes estágios ao longo da noite.

O sono pode ser dividido em dois grupos: *non-rapid eye movement* (NREM; em tradução livre, "movimentação ocular não-rápida") e *rapid eye movement* (REM; em tradução livre, "movimentação ocular rápida"). Durante o sono NREM, a respiração e o ritmo cardíaco ficam lentos e regulares, a pressão sanguínea cai e a pessoa se mantém relativamente imóvel. Como o nome sugere, o sono REM é caracterizado por movimentos oculares rápidos enquanto a pulsação e a respiração aceleram, mas o resto do corpo se mantém imóvel. É durante o sono REM que se tem mais probabilidades de sonhar, e este também é o estágio que ocorre antes do despertar.

Um único ciclo de sono é composto de quatro estágios, cada um com duração de cerca de 90 minutos, que se alternam ciclicamente ao longo de toda a noite. Os três primeiros estágios do ciclo de sono são NREM, cada um deles tem seu próprio jogo de características únicas, incluindo padrões de ondas cerebrais, movimentos oculares e tônus muscular – estes respondem por cerca de 75 por cento do ciclo. O sono REM ocorre no quarto estágio no ciclo de sono, tomando cerca de 25 por cento.

PRIMEIRO ESTÁGIO

O primeiro estágio é uma transição curta que dura apenas entre 5 e 10 minutos. Durante este estágio em que não se descansa, seus olhos estão fechados, mas o sono é raso, e ainda se tem uma sensação de alerta. No primeiro estágio, seu cérebro está imerso no sono, mas você ainda não se sente como se estivesse dormindo. É durante este estágio do sono que é mais fácil ser despertado.

SEGUNDO ESTÁGIO

Frequentemente se faz referência ao segundo estágio como "sono leve", e este representa uma das partes mais importantes do ciclo de sono, tomando cerca de metade da noite e sendo caracterizado por uma queda de velocidade tanto na respiração quanto no ritmo cardíaco. Memórias e emoções são processadas durante este estágio, assim como acontece com a regulação do metabolismo – os processos químicos que ocorrem no corpo para a manutenção da vida.

TERCEIRO ESTÁGIO

Durante este estágio de sono NREM, a respiração alcança seu ponto mais lento e os músculos também começam a relaxar, enquanto o ritmo cardíaco é regulado. Dificilmente se desperta neste estágio, e, se isso acontece, você se sentirá desorientado por algum tempo. A dificuldade de acordar neste ponto do sono é um motivo pelo qual o corpo tenta terminar de dormir profundamente o mais rápido possível. Seu corpo tem um apetite próprio e natural por dormir profundamente, então, quando se alcança isso, a necessidade se dissipa. O terceiro estágio normalmente ocorre durante a metade da noite e então seu ciclo se ajusta para passar mais tempo em sono leve e REM.

Estes estágios de sono têm muito a ver com o corpo, enquanto as partes que pensam do cérebro "se desconectam". Durante o sono profundo, o corpo libera hormônios de crescimento para ajudar a reconstruir e reparar células de tecidos, ossos e músculos. Os três primeiros estágios também ajudam a fortalecer o sistema imunológico. A idade pode causar impactos no ciclo de sono, já que se passa mais tempo em sono leve e menos tempo nos três estágios de sono profundo ao envelhecer.

QUARTO ESTÁGIO

Enquanto o estágio anterior de sono profundo é inteiramente a respeito do corpo, o quarto estágio – ou REM – é focado no cérebro, porque é a esta altura do ciclo de sono que ele está mais ativo. Em sua maioria, o corpo vai permanecer inativo, mas os olhos vão se mover rapidamente em diferentes direções. Durante este estágio, o ritmo cardíaco acelera e a respiração se torna mais irregular. A síntese proteica também alcança o pico, ajudando a manter os processos necessários para fazer com que o corpo continue trabalhando adequadamente. Normalmente, os sonhos acontecem neste quarto estágio, assim como a regulação de emoções e memórias.

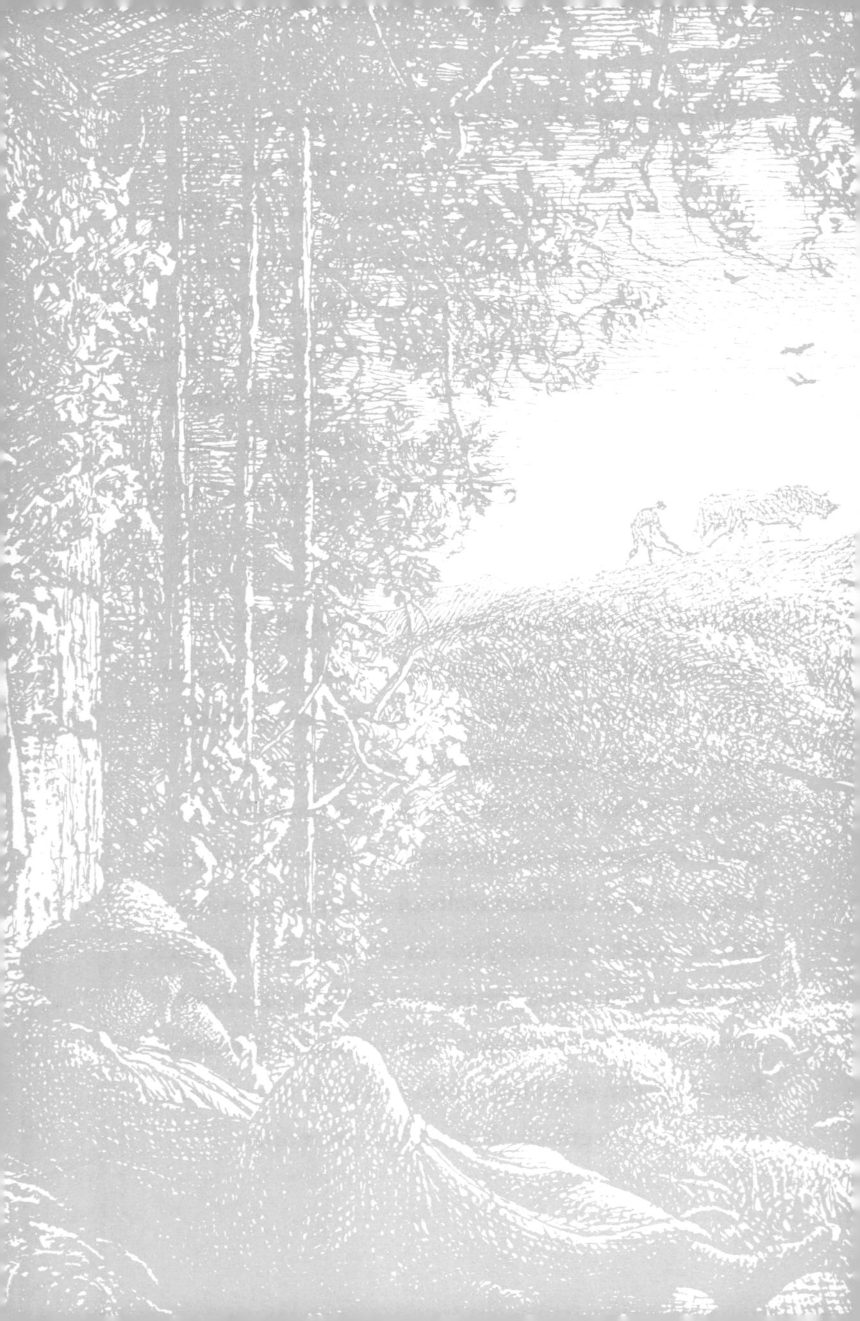

SONHAR

Sonhar é uma das características do sono mais notáveis, mas menos compreendidas. É o período em que os pensamentos seguem caminhos bizarros e aparentemente sem lógica, às vezes aleatórios e às vezes relacionados a experiências coletadas durante o período acordado. Enquanto os sonhos mais intensos ocorrem durante o sono REM, por ser este o momento em que o cérebro está mais ativo, alguns ainda podem ocorrer durante estágios de NREM.

Por vezes, os sonhos passam uma sensação fantástica, já que dentro deles podemos atuar em cenários que nunca seriam possíveis na vida real. Entretanto, a experiência nem sempre é positiva, e pesadelos podem induzir sentimentos de terror, ansiedade e estresse, que têm sido ligados a problemas do sono como a insônia.

Há muitas explicações acerca do porquê de sonharmos, e estas foram dadas tanto por filósofos quanto por psicólogos. Sigmund Freud sugeriu que os sonhos revelam os desejos mais profundos do inconsciente das pessoas e que disfarçamos estes impulsos com objetos simbólicos. Outras teorias apresentadas por pesquisadores sugerem que sonhos podem ser uma espécie de processamento desconectado de memória, pelo qual o cérebro consolida o aprendizado e as memórias diárias, e que sonhos fornecem até mesmo uma forma de desenvolver habilidades cognitivas. Também foi sugerido que os sonhos são um antigo mecanismo de defesa biológico, simulando acontecimentos ameaçadores para que fiquemos mais perceptivos e capazes de evitá-los na vida real. Porém, outros acreditam que os sonhos sejam simplesmente um resultado de atividades aleatórias no cérebro.

O verdadeiro significado dos sonhos ainda é algo misterioso e muitas perguntas permanecem sem respostas com as pesquisas atuais disponíveis. Talvez nunca cheguemos a saber, mas por enquanto você pode escolher em que quer acreditar.

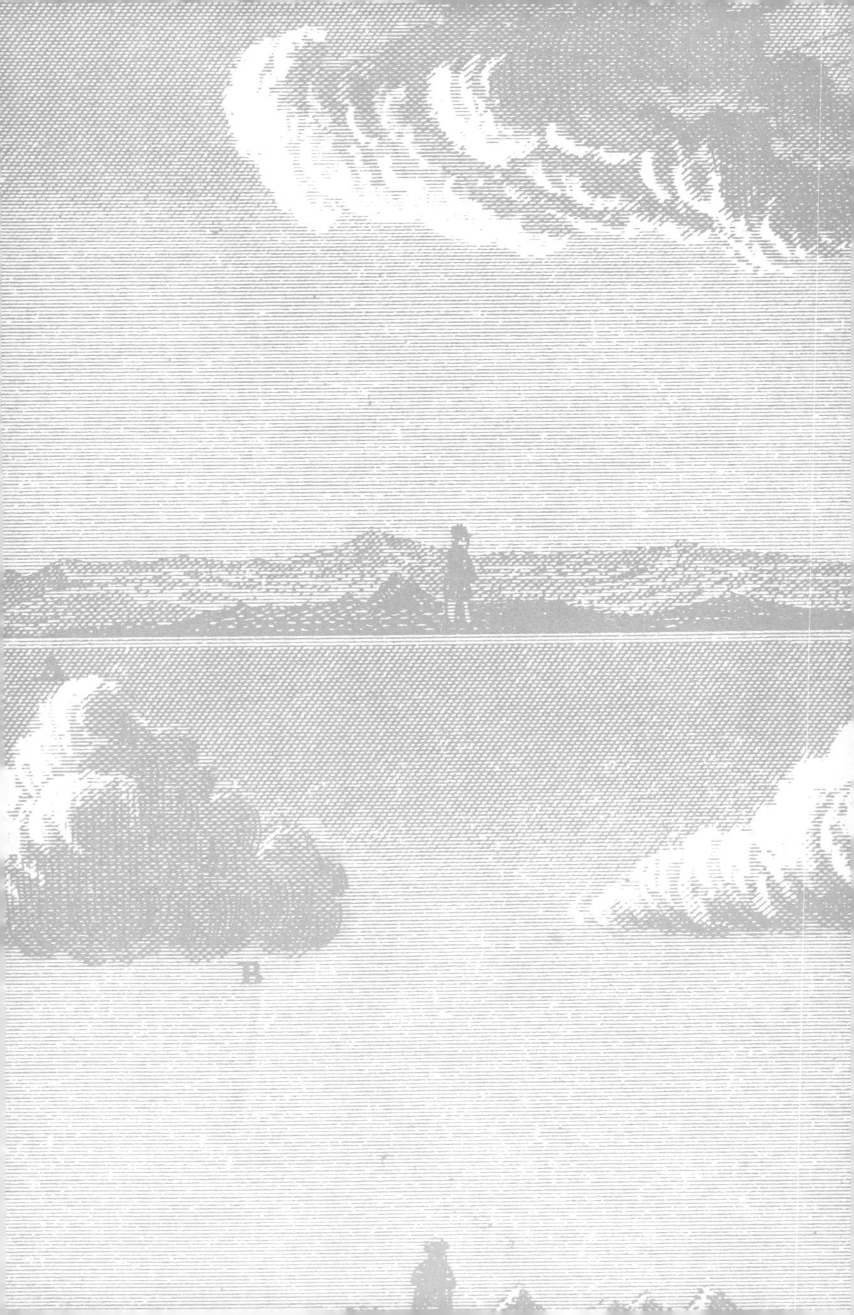
B

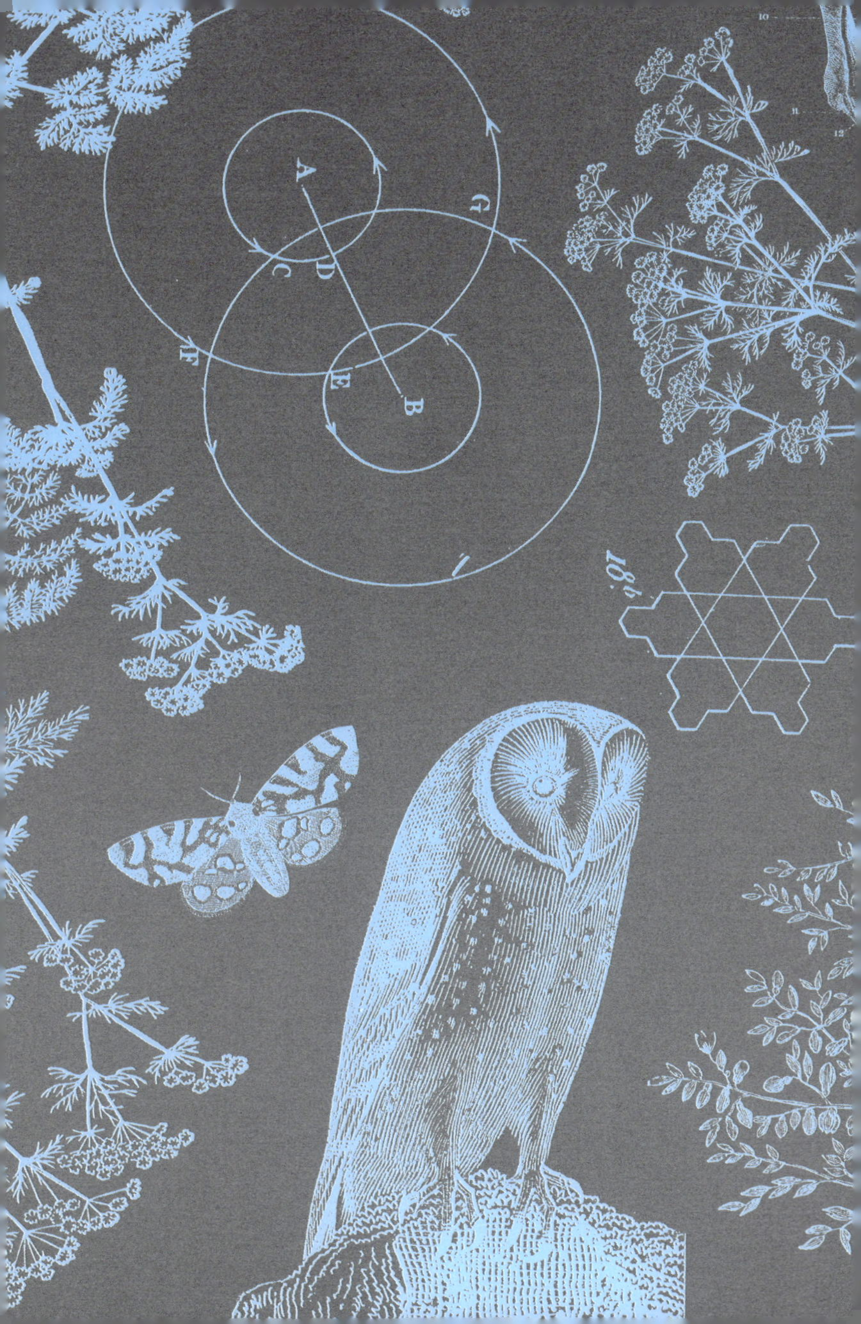
A
B
C
D
E
F
G

A MATÉRIA DOS PESADELOS

Muitas pessoas não dormem o bastante. Estamos em uma sociedade que queima a vela nas duas pontas, uma nação em que as pessoas ficam acordadas durante toda a noite para estudar, trabalhar ou se divertir.

Entretanto, seguir a vida sem dormir adequadamente gera consequências tanto a curto quanto a longo prazo que podem afetar todos os aspectos de nossas vidas.

Acredita-se que o número ótimo de horas de sono seja um pouco menos de oito, mas pesquisas conduzidas pela *Royal Society for Public Health*[1] mostraram que a maior parte das pessoas não consegue chegar a sete. Ao longo de uma semana, este deficit alcança uma noite inteira de sono, e uma pesquisa conduzida por *The Sleep Council*[2] demonstrou que 33 por cento das pessoas só conseguem dormir entre 5 e 6 horas, enquanto 7 por cento dormem menos de 5 horas.

---

1 N. T.: Sociedade britânica independente e multidisciplinar dedicada à melhoria da saúde pública.
2 N. T.: Organização britânica voltada para chamar a atenção à importância de dormir com qualidade.

O poder regenerativo do sono permite que o cérebro processe informações, que músculos e articulações se recuperem e possibilita o restabelecimento proteico em todas as partes do corpo, o que promove o crescimento e a reparação de tecidos, células e órgãos. Muitos de nós estão familiarizados com os efeitos a curto prazo de não dormir o bastante, quando experimentamos variações de humor, concentração e atenção, e nossas habilidades de recuperar memórias, criatividades e tomada de decisões também são afetadas. Todos estes efeitos podem se infiltrar em muitas áreas da nossa vida diária, como em relacionamentos e no trabalho. Mas são os efeitos a longo prazo da falta de sono que vão realmente lhe causar pesadelos...

DIABETES

Pesquisa publicada na revista *Sleep Medicine Clinics* descobriu que a insuficiência de sono pode causar um risco maior de diabetes tipo 2 por afetar a forma como o corpo usa a glucose, o carboidrato-combustível que fornece energia às células. O estudo revelou que quando cobaias saudáveis tinham seu período de sono reduzido de oito para quatro horas por noite, passavam a processar a glucose mais lentamente do que quando dormiam por 12 horas. É uma descoberta que se reflete em muitos outros estudos de natureza semelhante.

PRESSÃO SANGUÍNEA ALTA

A falta de sono adequado também pode causar elevação na pressão sanguínea, mesmo quando isso acontece durante pequenos períodos. Um estudo conduzido pela Universidade do Alabama descobriu que uma única noite de sono inadequado de pessoas que já tem pressão sanguínea alta pode causar níveis elevados no dia seguinte. Como a pressão sanguínea alta é um fator de risco para doenças cardíacas e derrames, isso contribui para a correlação entre a falta de sono adequado e doenças cardíacas.

SAÚDE MENTAL

Sua saúde mental também pode ser afetada pela ausência de sono suficiente. Dado o efeito que uma noite sem dormir pode causar no humor e concentração, não é difícil pensar que a privação crônica de sono possa resultar em problemas mais sérios de disfunções de humor. Já existem diversas pesquisas bem documentadas demonstrando uma associação entre problemas crônicos de sono e depressão, ansiedade e abalos mentais. Em um estudo conduzido pela *University College London*, cobaias que dormiram durante apenas quatro horas por noite mostraram níveis decrescentes de otimismo e sociabilidade após dias seguidos de sono inadequado. Em um estudo similar, cobaias com menos de quatro horas de sono reportaram se sentirem mais tristes, estressadas, bravas e exaustas mentalmente. Notoriamente, todos estes sintomas melhoraram dramaticamente quando voltaram ao padrão normal de sono.

GANHO DE PESO

Se você está ganhando peso ou achando difícil perder peso, pesquisas sugerem que isso pode ter algo a ver com a falta de sono de qualidade. Estudos conduzidos pela Universidade de Loughborough descobriram que pessoas que habitualmente dormem durante menos de seis horas por noite são mais suscetíveis a ter um Índice de Massa Corporal (IMC) maior do que a média, enquanto aqueles que dormem durante oito horas apresentam os menores IMCs.

Está se tornando mais amplamente aceito que junto a falta de exercícios e dietas ruins, dormir pouco possivelmente tenha a mesma influência no desenvolvimento da obesidade. Isso acontece porque se acredita que a falta de sono suficiente gera impactos nos hormônios leptina e grelina, que controlam nosso apetite e podem ter um papel no ganho de peso. A leptina, por vezes chamada de hormônio da saciedade, é liberada por células de gordura e envia sinais ao hipotálamo, no cérebro, que ajuda a inibir a fome e regular o equilíbrio de energia para que o corpo não libere respostas de fome quando a energia não é mais necessária. A grelina é frequentemente chamada de hormônio da fome e é liberada pelo estômago para estimular o apetite, aumentando assim a absorção de comida e estimulando o armazenamento de gordura. Pesquisas sugerem que a falta de sono suficiente reduz a leptina e eleva a grelina, o que pode explicar a correlação entre a obesidade e a falta de sono destacada por certos estudos.

Dormir pouco também pode causar impactos na liberação de outros hormônios relacionados ao ganho de peso, como a insulina e o cortisol. A insulina regula a glucose (açúcar) no sangue, mas também promove o armazenamento de gordura e, por isso, níveis elevados de insulina têm sido associados ao ganho de peso e ao risco de desenvolvimento de diabetes. Pesquisas mostraram como a insuficiência de sono pode aumentar a liberação de insulina após refeições e também de cortisol (o hormônio do estresse), o que tem sido associado há muito com o induzimento do corpo a armazenar gordura.

A falta de sono suficiente pode aumentar sua absorção de energia em 300 calorias por dia.

É claro, a insuficiência de sono também causa cansaço e fadiga, o que pode criar obstáculos à motivação necessária para algumas pessoas se exercitarem ou comerem de forma saudável, ambos os quais podem causar impactos no peso corporal.

MENTE ACIMA DA MATÉRIA?

Dormir menos que o bastante continuamente pode começar a se tornar uma espécie de jogo mental ao longo do tempo, causando estresse indesejado e ansiedade com os quais pode ser difícil de lidar.

Não deixe de notar se frases como "Estou tão cansado", "Mal dormi ontem à noite" ou "Fiquei acordado por horas" começarem a fazer parte do seu diálogo diário. Se não está dormindo adequadamente, é necessário que você mesmo tome providências e mude as coisas em vez de deixar que isso o defina e acreditar que tudo vai se adaptar à vida diária sem dormir.

Uma insuficiência crônica de sono é definida pelo número de horas que se consegue dormir a cada noite. A definição de ausência de sono é centrada em qualquer número abaixo das oito horas recomendadas. Abalos emocionais podem piorar a situação e iniciar um ciclo vicioso enquanto a ansiedade acerca de não dormir torna ainda mais difícil cair no sono.

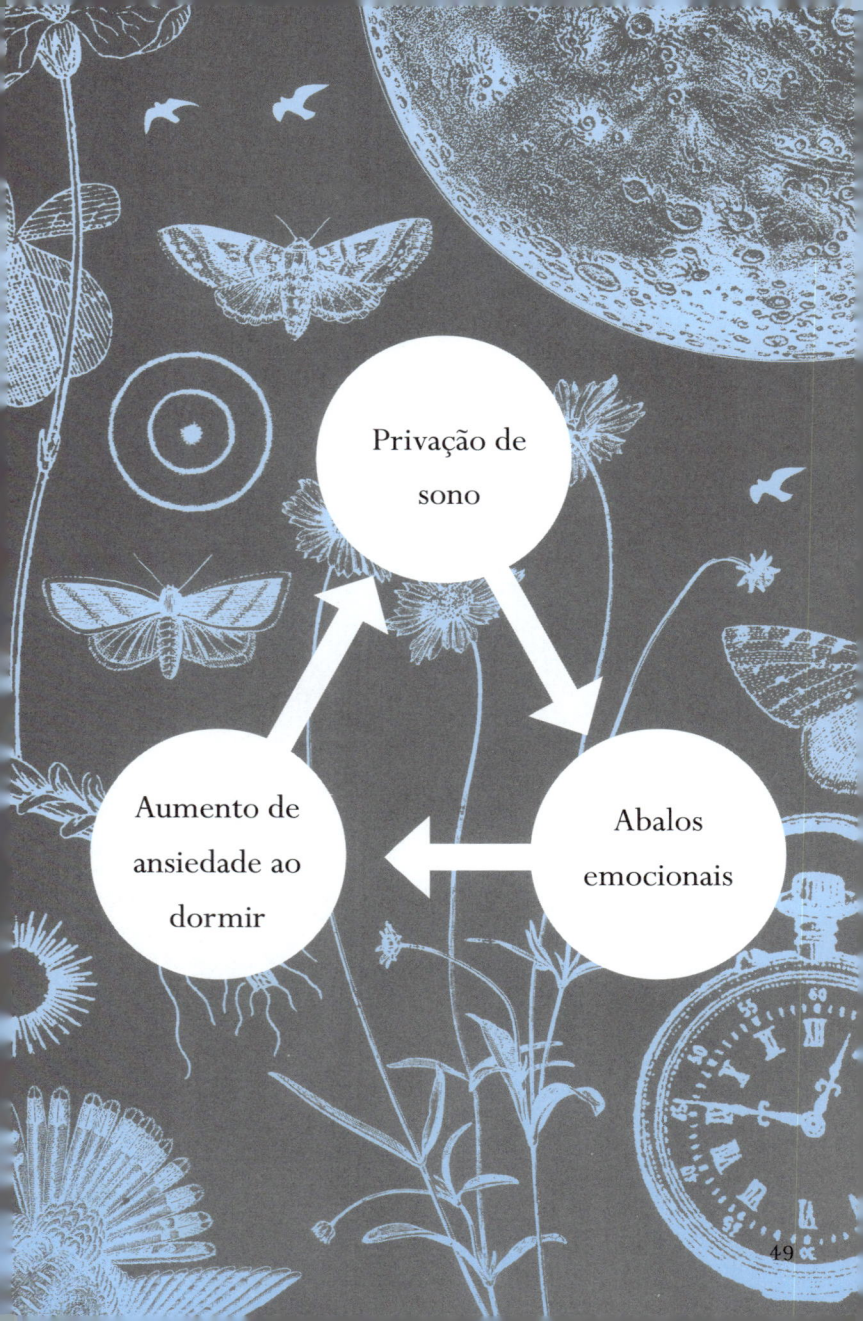

Privação de sono → Abalos emocionais → Aumento de ansiedade ao dormir → Privação de sono

Pessoas que sofrem de insônia por vezes guardam expectativas irreais acerca dos requisitos necessários para dormir e se preocupam excessivamente quando estes não são alcançados.

O que você pode fazer de mais importante é quebrar o ciclo e fazer algo a respeito!

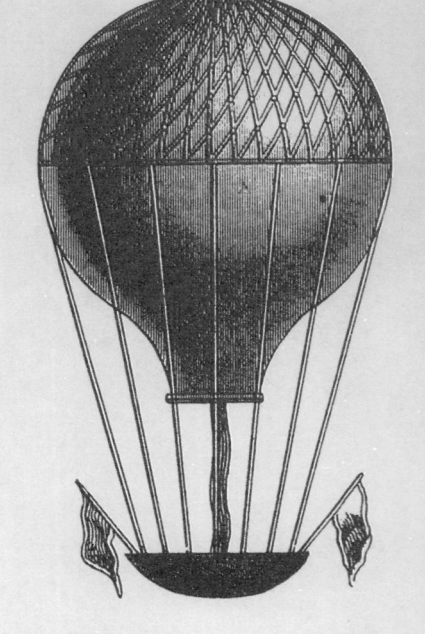

DE NOITE

Em vez de ficar deitado na cama contando carneirinhos, levante-se e distraia a mente da ansiedade de não dormir. Encontre um lugar calmo e imponha limites à exposição a luzes claras. Prepare uma bebida quentinha ou o que quer que funcione melhor para ajudá-lo a relaxar. Mais tarde adiante falarei sobre anotar seus pensamentos ou ansiedades, o que pode ajudar a clarear a mente. Outras atividades suaves, como ler, também podem ser uma forma útil de distrair a mente e instigar o cansaço necessário para levá-lo de volta à cama.

DE DIA

É fácil demais colocar toda a culpa em ter dormido pouco, mas isso não ajuda em nada. Se você está preocupado durante o dia acerca de seus hábitos de dormir, é claro que vai ser ainda mais difícil cair no sono à noite. Em vez disso, mantenha o foco nos desafios à frente em vez de em como está se sentindo cansado. Mantenha o pensamento positivo, mude suas falas e mantenha a perspectiva.

Às vezes, se estiver ficando impossível lidar com seus hábitos de dormir, é importante adaptar seu modo de vida para encontrar a rotina que funcione para você. E é aí que a arte de cochilar pode ser uma forma útil de se esquivar da fadiga diária quando bate, ao mesmo tempo em que se trabalha com seu padrão inato de sono.

CAPÍTULO DOIS

cochilar

"Deve-se dormir um pouco entre o almoço e o jantar, e nada de meias medidas. Tire suas roupas e vá para a cama. É isso que sempre faço."

Winston Churchill

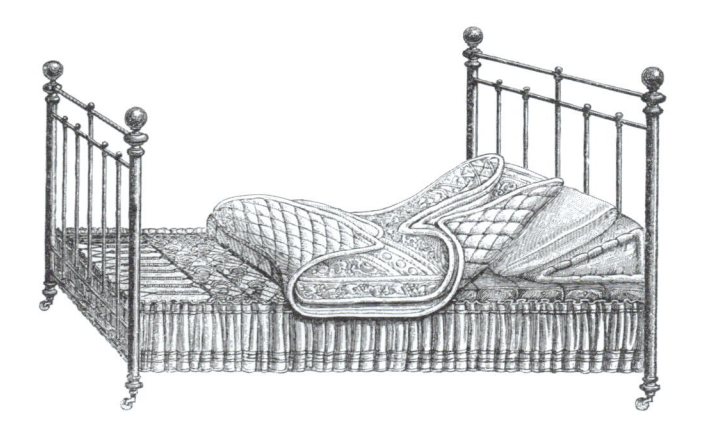

A ARTE DE COCHILAR

A maioria dos mamíferos são dormidores polifásicos, dormindo múltiplas vezes dentro de 24 horas. Humanos, por sua vez, são dormidores monofásicos, dormindo apenas uma vez durante o mesmo período.

Porém, ainda não está claro se este é o nosso padrão natural de sono, especialmente se se observa os hábitos de sono de crianças pequenas e idosos, que tiram sonecas regularmente ao longo de todo o dia. Na verdade, pesquisas sugerem que nossos ancestrais eram polifásicos, dormindo durante períodos mais curtos, mas com o tempo nos adaptamos a esta forma de dormir, em um único bloco, para complementar e lidar com o ritmo frenético de nossa existência moderna.

Cochilar ainda é uma parte importante das culturas no Mediterrâneo, América do Sul e África, onde muitas pessoas tradicionalmente adotam a abordagem polifásica de sono.

Os benefícios de cochilar incluem a restauração da atenção, melhora de performance e superação da fadiga, enquanto psicologicamente pode ser visto como um luxo a ser usufruído durante o tempo de folga para ajudar a rejuvenescer e relaxar. Historicamente, o cochilo da tarde tem sido recomendado por muitos intelectuais e líderes, como Winston Churchill, Napoleão, Einstein e John F. Kennedy.

DESCANSANDO OS OLHOS

Cochilar por cerca de 30 minutos durante o dia pode ajudá-lo a colher os benefícios se precisar e, alinhado ao conceito de planejar seus momentos de dormir em ciclos, isso pode ajudá-lo a colocar em dia o sono em falta para cada ciclo de 90 minutos perdido durante a noite.

A melhor hora para encaixar uma soneca no dia é entre 1h e 3h da tarde, para seguir o ciclo natural do ritmo circadiano (lembre-se pelo diagrama do ritmo circadiano na página 27 que é neste período que o corpo está naturalmente mais relaxado e sonolento).

O COCHILO DE ENERGIA

O cochilo de energia é algo defendido por muitos especialistas do sono. É benéfico para uma onda rápida de atenção e é uma forma útil de afastar aqueles momentos de fadiga que tornam quase impossível manter os olhos abertos. Em alguns casos, simplesmente fechar os olhos por 10 minutos é tudo que é necessário para enfrentar os efeitos de quando a fadiga o ataca deste jeito.

DORMIU, PERDEU...?

Cochilar não é para todos, e dormir por qualquer período além de 30 minutos pode significar correr o risco de entrar em um sono profundo. A sensação de estar grogue e desorientado associada a cochilar por muito tempo é frequentemente chamada de inércia do sono, e pode durar até 30 minutos, o que não é muito bom se tiver algo importante para fazer. Se você tem problemas para dormir, cochilar por longos períodos durante o dia também pode afetar de forma adversa a duração e a qualidade de seu sono à noite.

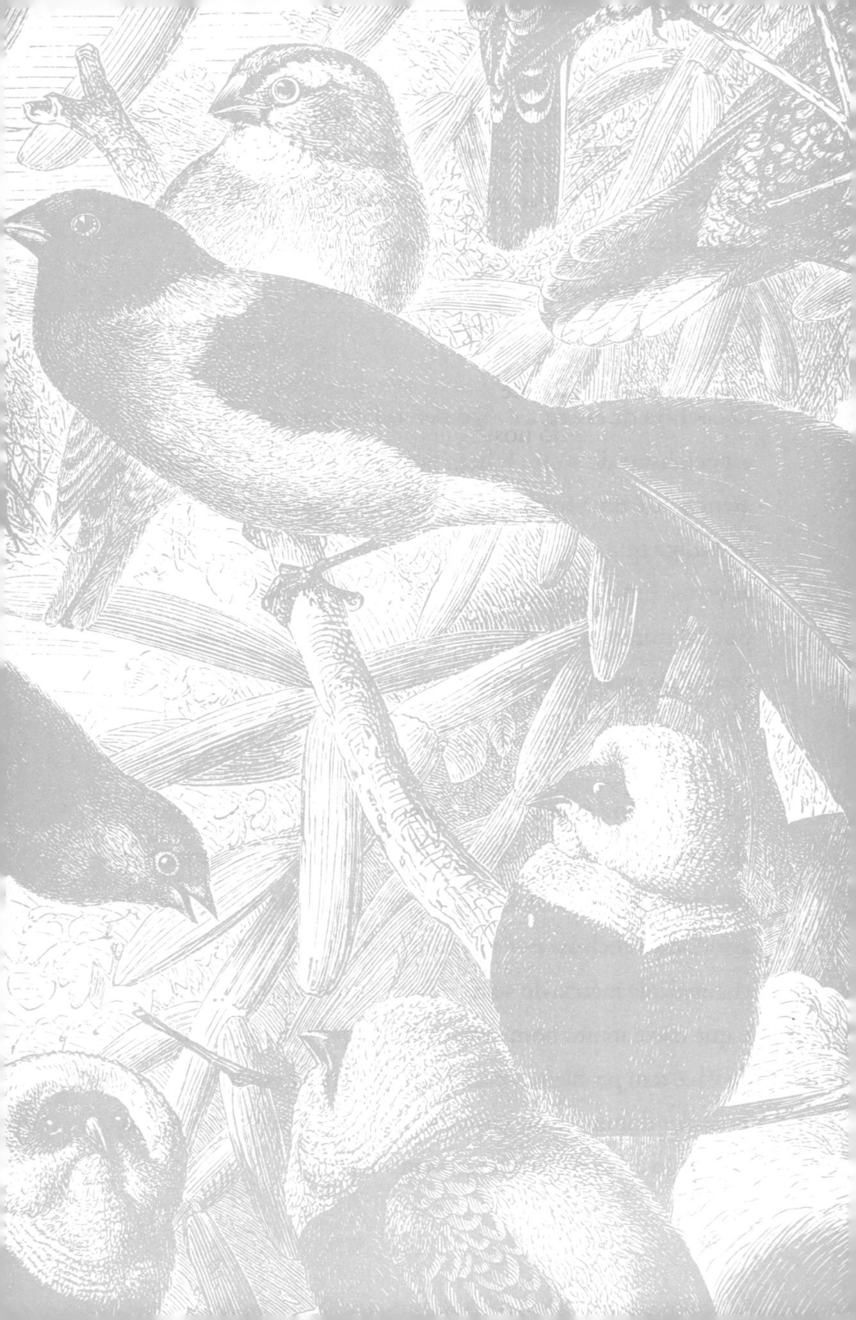

COTOVIA OU CORUJA?

Pesquisas sugerem que o padrão de sono é na verdade programado por nosso DNA.

A propensão a dormir em um momento em particular durante um período de 24 horas tem sido definida por cientistas como nosso cronótipo e está ligada especificamente ao gene PER3. Dois cronótipos comuns utilizados para definir a forma como pessoas dormem são conhecidos como ser uma "cotovia" ou uma "coruja". Cotovias da manhã têm genes PER3 mais longos, precisando dormir mais, enquanto corujas noturnas têm genes PER3 mais curtos, precisando de menos sono.

Uma pesquisa envolvendo milhares de participantes também mostrou que cotovias e corujas podem compartilhar traços de personalidade. Enquanto cotovias tendem a ser mais pontuais ou conscienciosas – por vezes mais proativas –, a tendência das corujas a serem mais abertas e a arriscar mais pode ser positivamente correlacionada à criatividade.

Milhares de anos atrás, nossos ancestrais teriam se beneficiado dos diferentes cronótipos de sono. Tendências de cotovias e corujas significavam que sempre haveria alguém acordado para ficar vigiando perigos. Fascinante, não é?

COTOVIA MATUTINA

- Vai dormir entre as 9h e as 11h da noite
- Acorda entre as 5h e as 7h da manhã
- Desperta naturalmente
- Adora manhãs e café da manhã
- Menos fadiga durante o dia
- Tende a ser mais consciencioso, cooperativo e persistente
- Proativo
- Provavelmente não é procrastinador

CORUJA NOTURNA

- Vai dormir entre meia-noite e 3h da manhã
- Acorda entre as 9h e as 11h da manhã
- Acorda com despertador
- Adora noites e jantar
- Cochila durante o dia
- Procura novidades e originalidade
- Tende a ser mais aberto a pensamento criativo
- Assume riscos e tem uma personalidade propensa a vícios
- Tendência à procrastinação

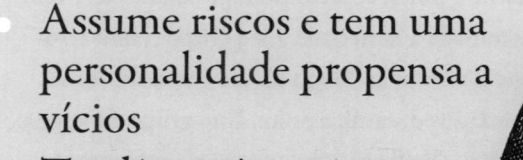

Estas caracterizações de cronótipos do sono representam uma simples polarização entre pessoas que são mais ativas durante o dia (cotovias matutinas) e aquelas mais ativas durante a noite (corujas noturnas). Uma pesquisa conduzida pelo psicólogo dr. Michael Brues sobre o tema de cronótipos do sono mergulhou mais fundo para definir quatro outras categorias descritivas classificadas como Golfinho, Leão, Urso e Lobo, que se enquadram em determinadas posições neste espectro.

GOLFINHO
Imagina-se que represente cerca de 10% da população

Estas são pessoas de sono leve, que não costumam ter muita vontade de dormir, esforçam-se para conseguir dormir durante a noite, acordando repetidamente, e têm insônia relacionada a ansiedade. Este grupo remói erros ou coisas que disseram ao longo do dia enquanto ficam deitados acordados durante a noite. Este grupo funciona melhor sozinho, e golfinhos são avessos a confrontações. Golfinhos tendem a ter uma média baixa de peso corporal e, por esse motivo, a se importar menos com malhar.

- Cauteloso, introvertido, neurótico, brilhante.
- Evita riscos e anseia por perfeição, é detalhista.
- Acorda sem estar recuperado e continua se sentindo cansado até tarde da noite.
- Mais atenção à noite, com picos produtivos ao longo do dia.

LEÃO
Imagina-se que represente entre 15-20% da população

Enquanto predadores de ponta da natureza, leões se levantam antes do amanhecer, esfomeados, e após um café da manhã de peso estão prontos para conquistar os objetivos que traçaram para o dia à frente. Leões são focados, com estratégias e objetivos claros para enfrentar desafios para alcançar o sucesso. Bons exemplos de leões incluem empreendedores ou presidentes de empresas. Exercícios são importantes para este grupo e se encaixam em seu espírito de conquistar objetivos.

- Consciencioso, prático, estável, otimista.
- Interativo e com objetivos altos, faz da saúde e da malhação prioridades.
- Desperta cedo, sofre com quedas bruscas de energia no meio da tarde e cai no sono com facilidade.
- Mais produtivo durante a manhã e mais alerta durante o meio do dia.

URSO
Imagina-se que represente cerca de 50% da população

Fora da hibernação, ursos são ativos durante o dia e descansam à noite, o que é conhecido como hábito diurno. Como os ursos, este grupo tenta dormir por pelo menos oito horas toda noite, se não mais. Sentir-se completamente acordado pode levar algumas horas, durante as quais sente fome. Seu apetite reflete o dos ursos, já que sente fome durante a maior parte do tempo e, se há comida disponível, vai comer independentemente de ser ou não uma hora de refeição. Este grupo é amigável, bem-humorado e fácil de interagir, transformando-o em convidados perfeitos para festas e o menos provável de causar alvoroço no trabalho ou culpar os outros por seus erros.

- Cauteloso, extrovertido, amigável, mente aberta.
- Evita conflitos, tende a ser saudável, priorizar a felicidade e gostar de familiaridade.
- Acorda atordoado e normalmente aperta o botão de soneca.
- O cansaço ataca do meio para o final da tarde: dorme profundamente, mas sempre anseia por mais descanso.
- Mais atenção durante o meio da manhã e no começo da tarde.
- Picos de produtividade logo antes do meio do dia.

LOBO
Imagina-se que represente de 15-20% da população

Como lobos na natureza, este grupo vem à vida quando o sol se põe. Embora não costumem sentir fome ao acordar, lobos normalmente são vorazes durante a noite. Este grupo é o que mais tende a fazer opções ruins quanto à alimentação, e junto a suas rotinas alimentares preferidas é mais propenso a ficar acima do peso, além de ter um risco maior de doenças relacionadas à dieta. O lobo é criativo, mas imprevisível, e se sente facilmente insultado pela visão de ser preguiçoso, assim como é mais suscetível à depressão e ansiedade como resultado de seu estilo de vida noturno.

- Impulsivo, pessimista, criativo, temperamental.
- Assume riscos, procura o prazer e reage de forma bastante emotiva.
- Esforça-se para acordar antes do meio-dia e não se sente cansado antes da meia-noite.
- Mais alerta após as 7h da noite.
- Mais produtivo no final da manhã e da noite.

Se a tendência de uma pessoa a um cronótipo em particular for muito forte e causar impactos sérios em sua rotina cotidiana, então ela pode ser diagnosticada com um transtorno do sono relacionado ao ritmo circadiano (conhecido pela sigla em inglês "CRSD"). Isso não é insônia, já que estas pessoas podem dormir perfeitamente, só que o fazem em um horário atrasado já que seus relógios biológicos estão substancialmente apartados dos do resto da sociedade. Pessoas com um CRSD podem ser forçadas a acordar mais cedo do que o corpo está preparado ou a acordar muito cedo, o que pode causar fadiga durante o dia e interferir com as demandas do trabalho e da vida social.

Compreender o seu cronótipo pode ajudá-lo a organizar sua vida diária da forma mais benéfica para você. Em vez de trabalhar contra as tendências naturais de sono do corpo forçando-se a se manter acordado ou a ir para a cama cedo demais, tente agendar reuniões ou eventos sociais em horários em que seja mais produtivo e tenha mais energia (embora na realidade isso possa não ser tão simples de conseguir).

É importante manter em mente que, embora estas definições de cronótipos do sono possam ajudar a explicar traços comuns dentre a população, elas não têm reflexos sobre seus valores enquanto pessoa e certamente não predizem sucesso em relação a padrões de sono.

Fig. 34

F — a b c d e f g

CICLOS DO SONO

Todos sabemos que devemos ter como objetivo dormir por volta de oito horas por noite para permitir que o corpo descanse e se recupere completamente. Entretanto, se você tem dificuldade para dormir, a pressão para alcançar esta cota pode, como discutimos, cumprir um papel central no ciclo vicioso que está nos mantendo acordados.

Quando o assunto é dormir, a questão é qualidade, não só quantidade. Acordar recuperado, alerta e com energia requer também a forma certa de dormir.

Em vez de se agarrar à "regra das oito horas", outra abordagem é estruturar seu sono em ciclos de 90 minutos.

O primeiro passo é estabelecer uma rotina que vá funcionar de forma sincronizada com seu ritmo circadiano para calcular o número de ciclos de sono que precisa alcançar durante a semana para atingir seus objetivos ao dormir.

Para que isso funcione, você precisa se comprometer a definir uma hora para acordar e então trabalhar de trás para a frente para estabelecer a hora que precisa ir dormir. Por exemplo, se seu objetivo é alcançar cinco ciclos de sono (7,5 horas de sono no total) e quer acordar às 6h30 da manhã, você precisa procurar dormir por volta das 11h da noite. Um ponto de início para dormir entre 9h30 e 11h da noite funciona em sincronia com o fluxo natural de seu ritmo circadiano, já que esta é a hora em que o corpo começa a baixar os níveis de serotonina e aumentar os de melatonina para induzir a sonolência.

DISCIPLINA É A CHAVE

Treinar-se para encontrar um ritmo estabelecido de sono é o centro do método de "Ciclos de Sono", e isso significa ir para a cama à mesma hora toda noite e acordar na mesma hora toda manhã. Logo notará como seu corpo acorda naturalmente à mesma hora todo dia.

MAIS NEM SEMPRE É MELHOR

Por vezes é tentador tentar "colocar em dia" o sono no final de semana, mas na verdade isso pode deixá-lo se sentindo pior. Como sabemos, é imensamente importante acordar na mesma hora todo dia para evitar desajustar nosso relógio biológico.

Firmar-se a uma hora regular de acordar significa que o corpo pode se acordar sem a necessidade de despertador. Na hora que antecede o despertar, o sono fica mais leve, a temperatura corporal aumenta e os níveis de cortisol também começam a subir, fornecendo-lhe a energia necessária para acordar.

EVITE APERTAR O BOTÃO DE SONECA

Tente resistir ao botão de soneca após o toque do despertador o máximo que puder! Dormir de novo vai deixá-lo se sentindo grogue, pois isto dessincroniza o corpo e o cérebro de seus ritmos naturais.

É claro, para aqueles que não dormem, o problema não é *quando*, mas como cair no sono...

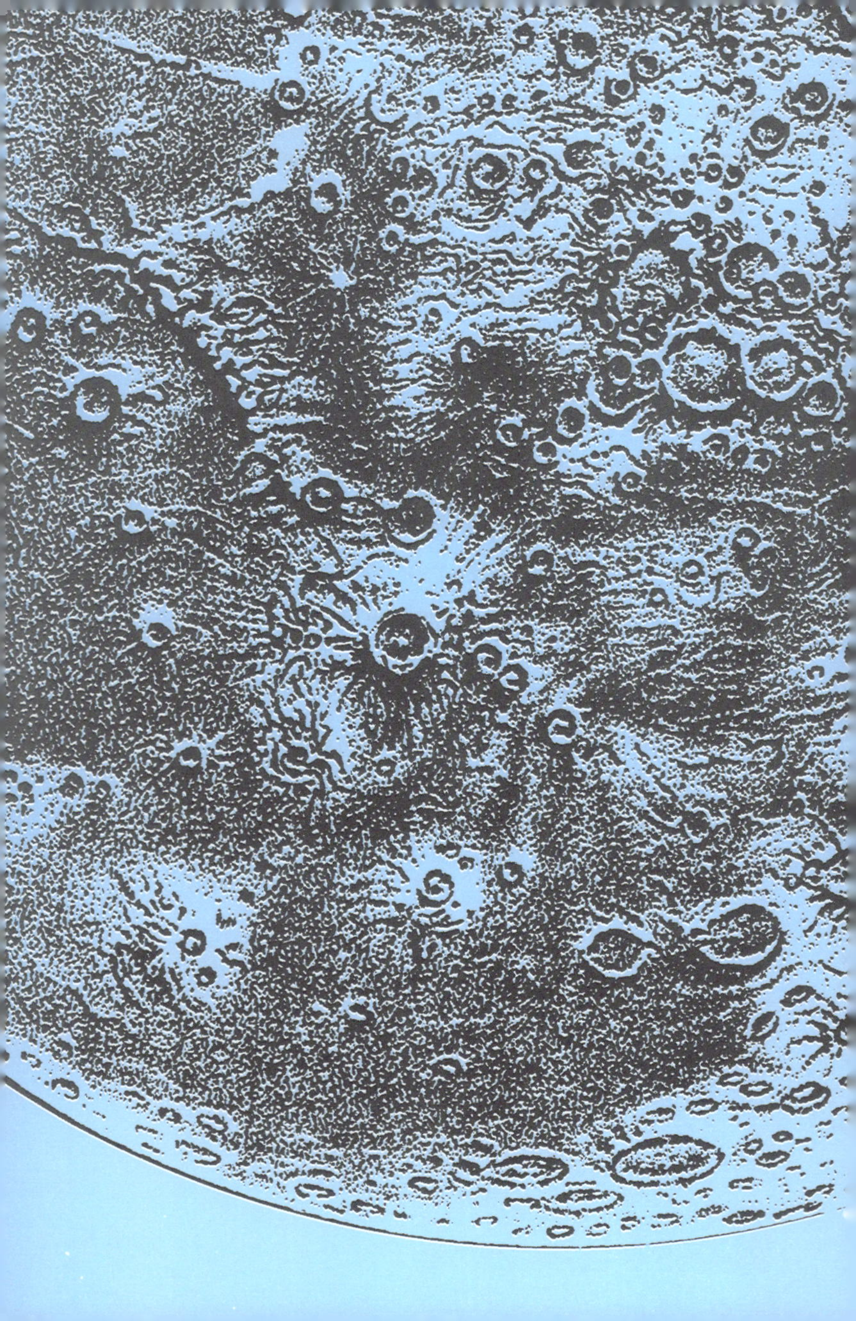

CAPÍTULO TRÊS

hora de dormir

QUERIDO DIÁRIO...
Se você tem problemas
para pegar no sono ou
se manter dormindo
quando é hora de
dormir, é importante
primeiro identificar
o que pode estar
entrando no seu
caminho.

Quer seja seu COMPORTAMENTO, o AMBIENTE ou a DIETA, preencher um diário pessoal de sono é a forma mais efetiva de capturar todos estes fatores de influência para que então possa começar a pensar em seu ritual de dormir único. Ao longo de sete dias, faça dois diários: um quando acordar e outro antes de ir dormir.

O Diário da Manhã vai ajudá-lo a estabelecer seu horário normal de dormir e o número de horas que dormiu, assim como a frequência com que acordou durante a noite (além de quaisquer possíveis razões para que isso aconteça). O Diário da Noite vai ajudá-lo a identificar quaisquer fatores de seu estilo de vida que possam estar interferindo com uma boa noite de sono.

Quando tiver uma melhor compreensão acerca de o que está impedindo uma boa noite de sono, você poderá usar as informações dos capítulos seguintes para desenvolver novos hábitos que formarão a base de seu ritual único de sono.

PREENCHA TODA MANHÃ	EXEMPLO	SEGUNDA-FEIRA	TERÇA-FEIRA
HORA DE DORMIR	10h da noite		
HORA DE SE LEVANTAR DE MANHÃ	7h30 da manhã		
CAPACIDADE DE CAIR NO SONO			
• Fácil			
• Levou algum tempo	X		
• Difícil			
ACORDADO DURANTE A NOITE			
• Número de vezes	2		
• Tempo total acordado	3 horas		
• Tempo total dormindo (horas)	6,5 horas		
MOTIVOS PARA PERTURBAÇÃO DO SONO (liste todos os fatores físicos e mentais como barulho, estresse, luz, ronco do parceiro, desconforto, temperatura, dor física — articulações, digestão)	Barulho (ronco do parceiro), preocupação		
COMO SE SENTIU QUANDO ACORDOU?			
• Totalmente recuperado e com energia			
• Moderadamente recuperado	X		
• Fatigado			
FATORES DO ESTILO DE VIDA (liste quaisquer outras razões que estejam afetando seu sono, como horas de trabalho, ciclo mensal, preocupações com segurança, mente ocupada)	Preocupações financeiras dificultaram que caísse no sono e voltasse a dormir após acordar durante a noite.		

QUARTA-FEIRA	QUINTA-FEIRA	SEXTA-FEIRA	SÁBADO	DOMINGO

PREENCHA TODA NOITE ANTES DE SE DEITAR	EXEMPLO	SEGUNDA-FEIRA	TERÇA-FEIRA
NÚMERO DE BEBIDAS COM CAFEÍNA			
• Antes das 5h da tarde	3		
NÚMERO DE BEBIDAS COM CAFEÍNA			
• Após as 5h da tarde	1		
BEBIDAS ALCÓOLICAS APÓS AS 5H DA TARDE: *1 unidade é equivalente a 300ml de cerveja, uma única dose de bebidas quentes, meia taça pequena de vinho (76ml) ou 250ml de bebidas alcóolicas leves*			
• 1-2 unidades	X		
• 3-4 unidades			
• Mais de 4			
QUALQUER MEDICAÇÃO TOMADA DURANTE O DIA *e o que foi?*	Nenhum		
SONECAS DURANTE O DIA *(responda sim ou não e sua duração)*	Sim, 1 (30 minutos)		
SENTIU-SE DE ALGUMA DESTAS MANEIRAS DURANTE O DIA?			
• Cansado			
• Mal-humorado	X		
• Impaciente			
• Incapaz de manter o foco ou a concentração			
DESCREVA BREVEMENTE SUA ROTINA NA HORA QUE ANTECEDEU O MOMENTO EM QUE SE DEITOU	Tomei banho logo antes de me deitar e então assisti a uma sequência de episódios de séries no laptop durante algumas horas. Verifiquei os e-mails do trabalho logo antes de apagar as luzes.		

QUARTA-FEIRA	QUINTA-FEIRA	SEXTA-FEIRA	SÁBADO	DOMINGO

comportamento

ambiente

dieta

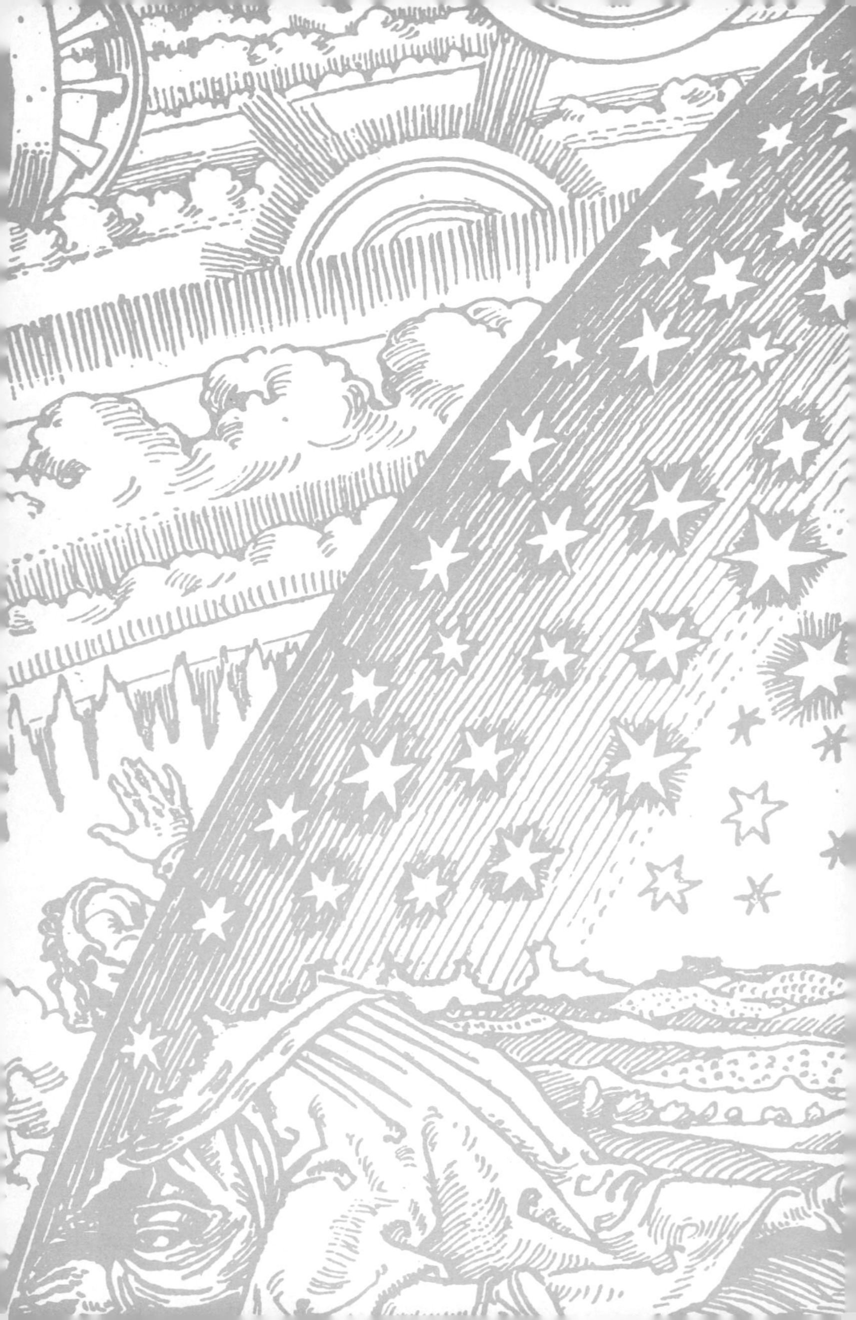

CAPÍTULO QUATRO

comportamento

"Pense de manhã. Aja ao meio-dia. Coma no fim da tarde. Durma de noite."

William Blake

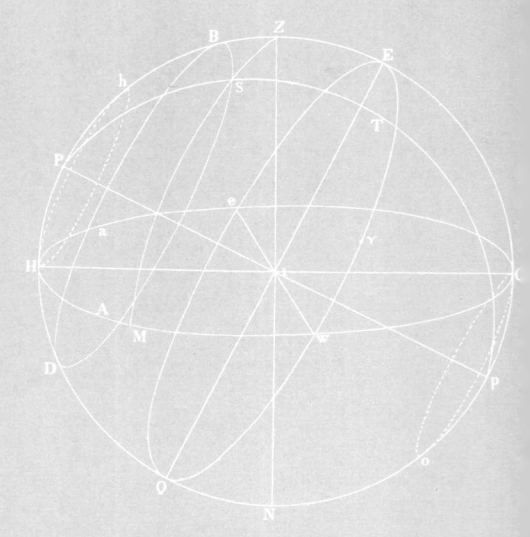

Sua rotina noturna antes de ir para a cama pode influenciar a qualidade e a duração de seu sono.

Sua rotina matutina após acordar pode causar um impacto no resto do dia.

Pense em seu quarto como um "palácio do sono", reservado exclusivamente para dormir. E sim, tem-se mostrado que sexo auxilia em uma boa noite de sono...

d

a

b

Fig. 1

HORA DE APAGAR AS LUZES!

Em 1981, um professor da Faculdade de Medicina de Harvard, dr. Charles Czeisler, descobriu que é a luz do dia que mantém nosso ritmo circadiano, ou relógio biológico, alinhado ao que nos cerca.

Qualquer luz pode suprimir a secreção de melatonina, então tente manter o quarto escuro utilizando cortinas blecaute ou investindo em uma máscara de dormir. Se você acorda durante a noite, então qualquer luz que esteja se infiltrando por espaços entre as cortinas ou persianas pode ser uma distração que o impeça de voltar a dormir.

Enquanto qualquer luz pode suprimir a liberação de melatonina – o hormônio que promove a sonolência – é a luz azul que causa o maior efeito negativo. Esta luz é emitida por equipamentos elétricos como computadores, celulares, notebooks e TVs.

Se realmente precisar manter uma luz acesa, pesquisas mostraram como a luz vermelha causa o menor impacto na produção de melatonina, tornando este comprimento de ondas de luz o que mais conduz ao sono.

Você pode comprar lâmpadas vermelhas ou rosas para usar no quarto e até mesmo luzes de Natal, mas estas talvez não agradem a todo mundo. A melhor coisa depois disso é usar lâmpadas incandescentes, que proveem uma luz difusa e quente e podem ser controladas por interruptores de dimmer em abajures laterais.

Durante o dia, certifique-se de se expor a bastante luz natural, já que isso ajuda a melhorar o humor e a fazer se sentir com mais energia. Isso, por sua vez, pode causar um efeito positivo em sua capacidade de dormir à noite.

Mas lembre-se, quando é hora de dormir, apague as luzes!

DESINTOXICAÇÃO DIGITAL

É claro, para muitos de nós o problema não é a luz principal do quarto, mas sim os celulares, laptops e televisões que estamos usando antes de ir para a cama.

Aconchegar-se para assistir a episódios de séries, ao noticiário, colocar os e-mails em dia ou dar uma olhada na mídia social preferida são apenas alguns exemplos de como a tecnologia digital se tornou uma parte intrínseca da vida moderna. Mas o lado negativo é que ela pode estar cumprindo um papel prejudicial em nossa capacidade de dormir bem.

Enquanto estiver ligado a seu smartphone ou laptop, você essencialmente está se colocando disponível de forma permanente, e isso pode tornar difícil desligar e colocar a mente para descansar. É realmente necessário que checar os e-mails seja a última coisa que faz à noite? É realmente necessário ver uma foto de algo que alguém comeu no jantar logo antes de dormir? Isso realmente não pode esperar? Estudos recentes mostram que checamos nossos telefones cerca de 80 a 200 vezes por dia. Uma pesquisa realizada com 4.000 adultos britânicos, conduzida pela Deloitte em 2017, descobriu que 38 por cento deles achavam que estava usando demais o celular e dentre os que tinham entre 16 e 24 anos este número cresceu em mais da metade. Chegou a 79 por cento a quantidade de adultos que disse que checavam aplicativos do celular na hora antes de irem dormir e 55 por cento dentro dos primeiros 15 minutos após acordar.

APAGADO QUE NEM LÂMPADA

Um estudo publicado na revista *Proceedings of the National Academy of Sciences of the United States of America* mostrou que luzes de ondas curtas (azul) emitidas por dispositivos tecnológicos alteravam as fases do ritmo circadiano e suprimiam a melatonina. Isso aumentava a sensação de alerta antes de dormir, afetando o tempo necessário para que as pessoas caíssem no sono e diminuindo o estágio REM de seus ciclos do sono.

O estudo também descobriu que mesmo após oito horas de sono, pessoas expostas a mais luz azul antes de se deitar estavam mais sonolentas e levavam mais tempo para acordar. Pessoas que usam dispositivos eletrônicos antes de se deitar também têm demonstrado ficar acordadas até mais tarde, afetando tanto seus ritmos circadianos quanto o tempo de sono.

COM AS LUZES BAIXAS

Pesquisas identificaram uma correlação entre o uso excessivo de smartphones e a depressão, especialmente em jovens adultos. A alta dependência e, em alguns casos, vício na utilização de smartphones também têm se mostrado influente em outras áreas que afetam a saúde mental, como a ansiedade, transtorno obsessivo compulsivo e sensibilidade interpessoal. Cada um destes efeitos pode causar impacto em sua capacidade de dormir.

É claro, é completamente fora da realidade extinguir os dispositivos tecnológicos de nossos estilos de vida, mas encontrar estratégias para moderar a forma como os utilizamos pode ajudá-lo em seu caminho para um bom sono. Não há muita dúvida de que ao preencher seu diário de sono a utilização de dispositivos tecnológicos vá aparecer como um problema. Como parte de seu ritual do sono, instigue um horário pessoal, um que possa se ampliar para toda a casa se necessário. Coloque seu dispositivo no "modo noturno" e estabeleça uma restrição a dispositivos "de luz azul" nas duas horas antes de ir para a cama, e isso vai lhe proporcionar a melhor chance de eliminar este fator em seu problema para dormir.

BOM DIA, FLOR DO DIA

A questão não é só antes de dormir, também não corra para se reconectar ao mundo digital quando acordar. Você deve fazer tudo que puder para começar o dia no fluxo natural de seu ritmo circadiano. Quando acordar, abra as cortinas, permitindo que o máximo possível de luz natural entre no quarto, o que vai encorajar o cérebro a parar de liberar melatonina enquanto utiliza o hormônio cortisol como uma ferramenta para ajudá-lo a sair da morosidade e encorajar o apetite.

Tente não checar o celular até ter tomado o banho e o café da manhã, porque começar o dia com um amargor em virtude de um e-mail negativo apenas estimula o estresse. O efeito do estresse então faz com que o corpo produza cortisol em excesso, o que pode tirar o seu ritmo circadiano de sincronia pelo resto do dia, além de causar impactos no humor e, em alguns casos, no apetite.

ACALME-SE

Se quer preparar o corpo para uma boa noite de sono, você precisa se acalmar. Quando pensamos sobre o efeito da temperatura no corpo é fácil presumir que o calor possa nos ajudar a dormir. Ficar sentado sob o sol do meio-dia ou dentro de um escritório quente e abafado pode deixá-lo se sentindo zonzo, mas se está tentando cair no sono à noite, o calor pode dificultar as coisas.

O cansaço que sente devido a temperaturas externas altas durante o dia é um efeito colateral de seu corpo tentando se resfriar. Ele responde a estas temperaturas altas expandindo os vasos sanguíneos, o que aumenta o fluxo sanguíneo próximo à pele para liberar calor e resfriar o corpo. Ao mesmo tempo, a pressão sanguínea cai, resultando em menos oxigênio sendo entregue a vários sistemas, o que causa fadiga.

Em contraste, o ritmo circadiano é bastante sincronizado à temperatura corporal – é uma das funções que controla para ajudá-lo a cair no sono ou a se manter acordado. Durante o dia, a temperatura do corpo se eleva naturalmente até o final da tarde, quando então começa a cair. Ao se iniciar o sono, a temperatura do corpo começa a cair entre um e dois graus, o que o ajuda a conservar energia. Esta queda de temperatura sinaliza a liberação de melatonina para ajudar a induzir relaxamento e sono ao desacelerar o ritmo cardíaco, a respiração e a digestão. Se seu ambiente de sono está quente ou frio demais, isso pode tornar mais difícil para o corpo alcançar a temperatura ótima exigida para um sono de boa qualidade.

TOME UM BANHO...

Apesar de talvez parecer contraintuitivo ao que acabamos de argumentar, muitos estudos mostraram que aquecer o corpo com um banho pode ajudar a promover o sono, mas para conquistar estes efeitos, o momento em que se faz é determinante. A melhor hora para tomar um banho é pelo menos uma hora antes de ir para o berço, já que assim o corpo tem tempo o bastante para se resfriar até a temperatura ótima para dormir. Efeitos semelhantes foram observados ao lavar ou mesmo mergulhar os pés em água morna para aumentar a temperatura da pele e do corpo.

Também foi demonstrado que tomar banho ajuda a aliviar a ansiedade e o estresse muscular, induzindo a relaxar e dormir. Sais de Epsom são uma boa escolha para se colocar na água da banheira, já que são ricos em magnésio, o que ajuda a promover o relaxamento muscular e o sono.

Óleos de banho também podem ajudar com o relaxamento, já que estimulam o nervo olfativo. Este nervo nos fornece a sensação de cheirar e envia sinais para partes do cérebro que controlam as emoções e o humor, acalmando-nos através do sistema nervoso parassimpático, o que relaxa o corpo. Óleos tradicionalmente utilizados para relaxamento incluem os de lavanda, bergamota, ylang ylang, sálvia esclareia e vetiver. Apesar de as aromaterapias com óleos essenciais não terem sido estudadas com rigor, ainda assim podem causar efeitos tranquilizantes.

Você pode tornar o tempo no banho ainda mais relaxante acendendo velas e desligando a luz do banheiro. Escutar músicas calmas ou utilizar um aplicativo de meditação no celular também torna o banho ainda mais relaxante e propicia uma oportunidade de acalmar uma mente ocupada.

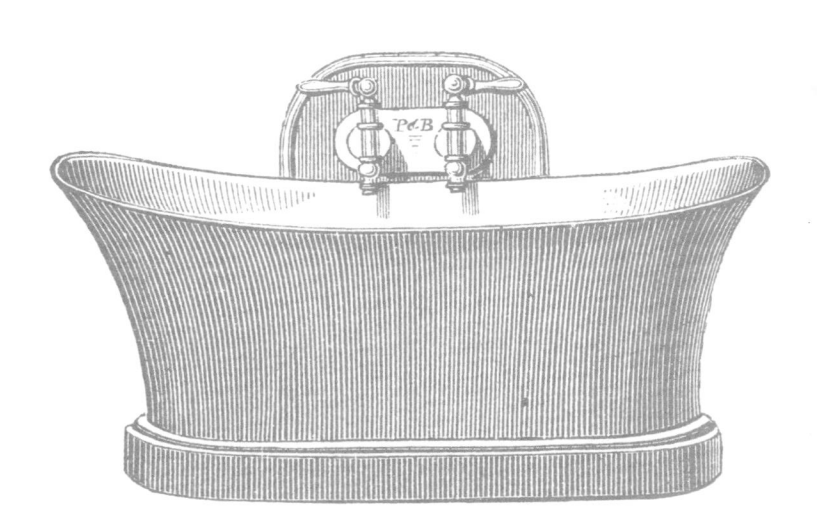

DOWNLOAD CEREBRAL

A falta de descanso e uma mente ocupada podem facilmente criar obstáculos para cair no sono. Enquanto se permanece deitado sem dormir, a mente pode se esgotar ao focar em problemas e preocupações que estejam causando impacto na sua vida, muitos dos quais você vai inconscientemente ruminar durante toda a noite.

Pessoas que escrevem seus pensamentos, atividades e tarefas que precisam ser completadas antes de ir para a cama caem no sono muito mais rápido do que aquelas que não o fazem.

Mantenha um bloco de papel e caneta junto à cama para que possa rascunhar seus pensamentos antes de ir dormir toda noite. Assim como escrever suas preocupações e estresses, inclua quaisquer tarefas que precisem ser terminadas no dia seguinte, ou faça uma lista de afazeres.

Se acordar durante a noite e sua mente começar a vagar sem rumo, leia o diário e a lista de afazeres, acrescentando tópicos se for necessário. Às vezes, as melhores ideias podem ocorrer durante o meio da noite, então certifique-se de deixar bastante espaço para anotá-las.

Como mencionei antes, não gaste horas deitado na cama tentando cair no sono. Em vez disso, levante-se e se sente em algum lugar quieto, mantendo as luzes baixas. Use este tempo para refletir e ajudar a organizar os pensamentos escrevendo-os em vez de deixá-los zunindo repetidamente na sua cabeça.

Fig. 19

Fig. 37

FIQUE CONFORTÁVEL

A posição que você escolhe para dormir pode ser um fator na sua capacidade de dormir durante a noite inteira. A mais comum – e uma das recomendadas por muitos especialistas do sono – é a fetal. Se decidir dormir desta forma, deve escolher o lado oposto àquele de sua dominância (em outras palavras, se você é destro, escolha o lado esquerdo). Mas nem todos os especialistas concordam com isso, com muitos sugerindo que dormir com a barriga para cima é melhor para a sua saúde, apesar de ser a posição menos popular.

Estabelecer a melhor posição para dormir, no fim das contas, se resume a conforto, e é possível resolver isso com tentativa e erro. Entretanto, certas posições são mais favoráveis se você sofre com condições específicas de saúde que estejam afetando a qualidade do seu sono.

DOR NAS COSTAS E NO PESCOÇO

Dormir com a barriga para cima permite que cabeça, pescoço e espinha descansem em uma posição neutra, o que limita qualquer pressão excessiva nestas regiões. Colocar um travesseiro sob a parte de trás dos joelhos pode ajudar a suportar a curva natural da parte inferior das costas e diminuir ainda mais qualquer estresse sobre a espinha. Certifique-se de que o travesseiro sob sua cabeça apoie a curva natural do pescoço e dos ombros.

RONCO OU APNEIA DO SONO

A apneia do sono é uma condição que faz com que as passagens de ar colapsem durante o sono, o que leva a uma respiração com interrupções. A condição pode causar perturbação ao dormir e roncos. Evite dormir de barriga para cima, já que isso estimula a base da língua e o palato mole a cair sobre a parede posterior da garganta, o que causa o ronco. Adote uma posição de lado para ajudar a prevenir que isso aconteça e auxiliar a manter as passagens de ar abertas. Colocar um travesseiro firme entre os joelhos pode ajudar a reduzir qualquer estresse sobre os quadris e a parte inferior das costas.

REFLUXO E QUEIMAÇÃO NO ESTÔMAGO

Muitas pessoas batalham contra o refluxo e a queimação no estômago, causados pela elevação de suco gástrico pelo esôfago e garganta. Mulheres grávidas e pessoas com sobrepeso são mais propensas a esta condição. Deitar-se com a barriga para cima pode piorar os sintomas, mas, se dormir deste jeito, eleve a cabeça e os ombros usando travesseiros para deixá-los inclinados. Dormir de lado tem se mostrado benéfico contra o refluxo e a queimação no estômago, mas o lado que se escolhe é importante e se resume muito à gravidade. Devido à posição do esôfago, dormir voltado para o lado esquerdo significa que o refluxo é levado com mais facilidade de volta na direção do estômago.

CONTINUE CAMINHANDO

Não há nenhuma dúvida de que se manter fisicamente ativo traz benefícios à saúde de múltiplas formas, tanto física quanto mentalmente. Pesquisas mostram que atividade física ajuda a reduzir o risco de mortalidade por qualquer causa em 30 por cento.

O aconselhamento atual é de que devemos nos manter ativos diariamente e fazer exercícios por 30 minutos todo dia, cinco dias por semana. Apesar dos benefícios disso, um número significativo de pessoas ainda leva uma vida sedentária.

Exercício traz benefícios ao sono de diversas formas, como aumentando o tempo despendido em sono profundo (estágios 3 e 4), que é a fase mais fisicamente restauradora do ciclo do sono. Enquanto ajudam a melhorar a qualidade do sono, atividades físicas também podem estender a quantidade de tempo que se passa dormindo. Isso se deve simplesmente ao fato de que se está gastando mais energia ao longo do dia, o que ajuda a se sentir cansado e pronto para descansar na hora de dormir.

Pesquisas mostram que este efeito prevalece ainda mais em pessoas que se exercitam regularmente como parte de uma rotina consistente.

Exercícios também podem ajudar a aliviar o estresse e a ansiedade, que são obstáculos comuns a dormir bem. Atividades de corpo e mente como ioga e alongamento têm se mostrado benéficos em diminuir os níveis de cortisol e reduzir a pressão sanguínea, ambos os fatores que podem ajudar a induzir o sono.

Mas malhar perto demais da hora de dormir também pode causar impacto no seu sono, especialmente se isto envolve exercícios de alta intensidade. Exercícios pesados aumentam significativamente o ritmo cardíaco, a temperatura corporal e os níveis de hormônios como adrenalina, fatores que não são exatamente perfeitos para um coquetel do sono. Malhar tarde muitas vezes também significa comer tarde, o que pode perturbar o sono em algumas pessoas. Se preferir malhar tarde, tente tomar um banho fresco depois do treino para reduzir a temperatura corporal antes de se deitar e faça da sua refeição da noite a menor do dia.

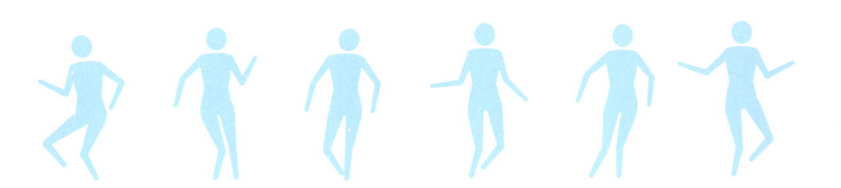

CAPÍTULO CINCO

ambiente

"Não tenha nada em sua casa que não saiba ser útil ou não acredite que seja bonito."

William Morris

BAGUNÇA CAUSA ESTRESSE

Pessoas que têm dificuldades para dormir tendem a se tornar hipersensíveis a tudo que constitua uma "ameaça" a divagações.

Quer seja um relógio fazendo tique-taque, prateleiras entulhadas, armários desorganizados, montes de roupas sujas, pilhas de papéis de trabalho ou as luzes de standby de equipamentos elétricos, não é muito difícil que quaisquer destas coisas se transformem no foco de atenção ou mesmo se tornem uma obsessão ao se tentar cair no sono. Mesmo coisas pequenas que parecem insignificantes ao longo do dia podem se tornar uma fonte de ansiedade, como um pedaço descascado de papel de parede ou uma rachadura no mesmo local.

Bagunça causa estresse, então é importante organizar a casa e criar um abrigo quieto e tranquilizador.

VOCÊ ARRUMOU SUA CAMA...

...agora precisa se deitar nela! Realmente faz diferença manter a roupa de cama limpa e a cama feita de uma forma convidativa. Afofe os travesseiros, sacuda o edredom para que esteja o mais macio possível e crie seu próprio paraíso do sono. Lençóis brancos podem ser particularmente tranquilizadores, mas é claro que tudo se resume à preferência pessoal. E não se esqueça do que está embaixo da cama – pode estar fora do campo de visão, mas certamente não está fora da mente. Se realmente precisa utilizar o espaço, invista em caixas de armazenamento adequadas para ajudar a manter tudo arrumado.

NÃO VARRA PARA DEBAIXO DO TAPETE...

Se não precisa daquilo no quarto, não o guarde nesse local. Remova tudo que não instigue um ambiente restaurador e relaxante, mantenha apenas o abajur e provavelmente uma vela na mesa de cabeceira. E sim, a mesma regra se aplica a quaisquer dispositivos digitais que estejam entulhando o quarto, como TVs, laptops e celulares. Este é o seu lugar de dormir, então seja rígido consigo mesmo.

MONSTROS NO ARMÁRIO?

Como passo final, trabalhe no seu guarda-roupas para que saiba que tudo no quarto está organizado, mesmo que esconder algo por trás da porta do armário possa ajudar a criar uma sensação de organização e promover uma sensação de claridade. Comece retirando peças que não usa mais e organizando-as por estação, guardando as roupas de verão quando no inverno e vice-versa.

Escolher a roupa que vai usar no dia seguinte e deixá-la pronta é uma forma simples de ajudar a acalmar uma mente ocupada, contribuindo para um senso de organização e eliminando qualquer estresse desnecessário ao acordar.

Arrume a bagunça e organize o quarto em pequenas seções para reduzir a carga de trabalho.

"Invista em sapatos e lençóis, porque quando não está com um, está com o outro."

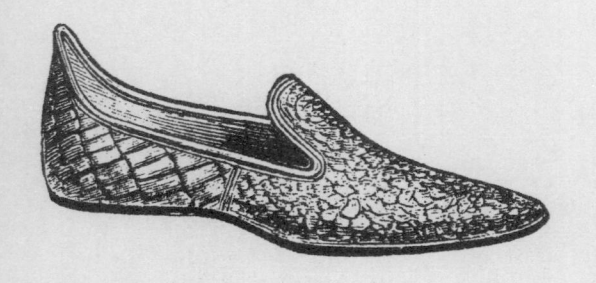

Sim, realmente há verdade neste provérbio antigo! A superfície em que você dorme é incrivelmente importante para promover uma boa noite de descanso, então vale a pena investir. Sabia que colchões podem se deteriorar em até 70 por cento dentro de dez anos de uso? Como base, leve em consideração substituir o colchão a cada sete anos.

Pesquisas mostram que 20 por cento das pessoas atribuem dores nas costas, no pescoço, rigidez e outras dores a não dormir bem, e estes são apenas alguns dos sinais físicos que podem indicar que você precisa de um colchão novo.

Se você se pega sofrendo com nariz escorrendo ou com coceiras, espirros ou tosse (entre outros sintomas), isso também pode indicar um acúmulo de poeira e alérgenos em seu colchão – o que é outro motivo para trocá-lo.

Tome seu tempo, pesquise e estabeleça o nível certo de conforto que se adeque a suas necessidades. Você deve escolher um colchão de molas ou de espuma? Cada um tem seus benefícios únicos, especialmente se tem dificuldades com dores nas costas. E se está compartilhando a cama com um parceiro, é melhor escolher o maior tamanho possível, para que tenha espaço para se esparramar!

Fig.15
Fig.16
Fig.19
Fig.20
Fig.23
Fig.22
Fig.40
Fig.32
Fig.42
Fig.41
Fig.44
Fig.47
46
Fig.60
Fig.49

ENROLANDO-SE NOS LENÇÓIS...

O tipo de roupa de cama que você escolhe usar pode causar impacto na qualidade do sono de muitas formas.

1. Certifique-se de que sua roupa de cama permita que respire o máximo possível para manter a temperatura do corpo estável e em sincronia com seu ritmo circadiano.
2. Certifique-se de que tem um edredom do peso certo também, para manter sua temperatura estável. Muitos edredons vêm com cobertores unidos oferecendo duas variedades de togs, o que é útil para atravessar as estações e lhe oferece dois em vez de um. Fora isso, como regra, você deve usar um edredom de 13,5 togs no inverno, 9 togs no outono e 4,5 togs no verão. Se estiver realmente quente, talvez prefira usar um lençol separado ou a cobertura do edredom sozinha.
3. Quer sofra com alergias ou não, idealmente sua roupa de cama deve ser hipoalergênica. Ácaros de poeira prosperam em roupas de cama enquanto jantam suas células epiteliais mortas e disparam reações alérgicas em resposta a seus dejetos, o que vai afetar sua respiração ao longo da noite e consequentemente acordá-lo. Durma bem, não deixe os bichinhos da cama morderem-no...

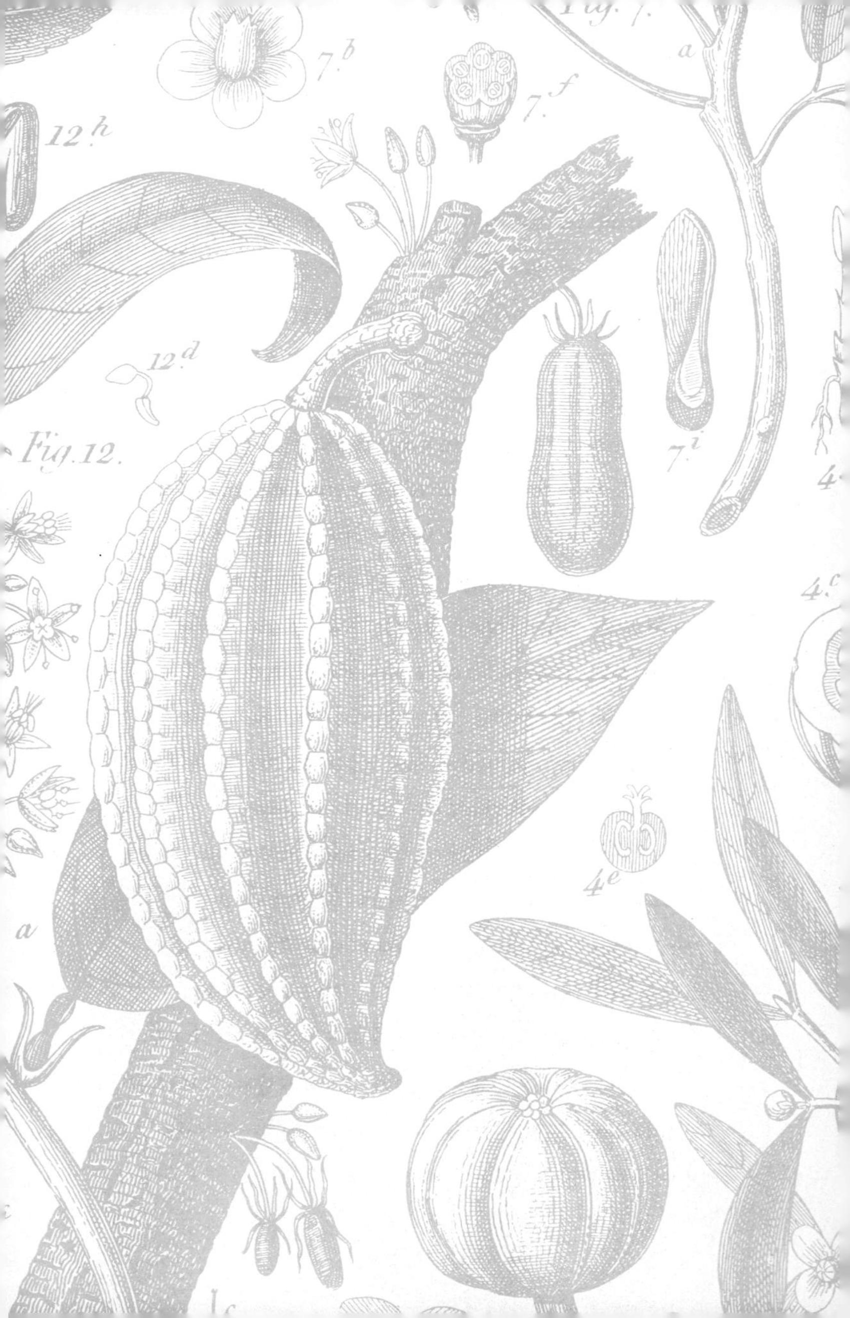

7.b
7.f
12.h
12.d
Fig. 12.
7.i
a
4.c
4.e
a

CAPÍTULO SEIS

dieta

"Não se pode pensar bem, amar bem, dormir bem, se não se comeu bem."

Virginia Woolf

COMA BEM PARA DORMIR COMO UM NENÉM

Anos de pesquisa mostraram que a dieta está indubitavelmente associada à boa saúde. A curto prazo, a comida que comemos nos fornece os nutrientes necessários para abastecer as tarefas diárias...

Carboidratos fornecem uma fonte imediata de energia, enquanto gorduras atuam como uma forma de armazená-la.

Proteínas dão suporte ao crescimento e reparam tecidos por todo o corpo.

Vitaminas e minerais são necessários em quantidades muito menores e são essenciais para a vida, já que ajudam a dar suporte a muitas reações que ocorrem para manter o funcionamento do corpo em ordem.

A ligação entre a dieta e o sono não é direta, e nada que você comer vai servir como uma cura milagrosa, mas quando considerado em conjunto com uma boa higiene do sono e técnicas de relaxamento, escolher o quê e quando comer formará uma parte central do seu ritual do sono.

Foi demonstrado que certas comidas e bebidas ajudam a induzir o sono devido a seu conteúdo nutritivo, assim como aquelas que têm potencial para mantê-lo acordado.

Ansiedade, depressão e estresse também podem afetar o apetite e a absorção de nutrientes de diversas maneiras, assim como criar uma demanda maior do corpo por tipos específicos de comida, alguns dos quais têm sido associados ao sono. Insuficiências de nutrientes podem ser causadas tanto pela falta de apetite quanto por comer em excesso.

Utilize as descobertas do seu diário do sono e a informação nos próximos capítulos para ajudá-lo a pensar o que e quando comer para promover a melhor noite de sono possível.

Comer besteiras não é um prêmio, é uma punição.

The
WORCESTER
BRAND
SALT
NASP. WRITON & Co
NEW 120 WARREN ST. YORK
BITTERS
Liqueur
Pères Chartreux
Bas de Carré (2)
Collet (3)
Tête (2)
Épaule (2)
Grosse Poitrine (2)
Crosse (3)
BORDEN'S
Peerless
Brand
EVAPORATED
CREAM
UNSWEETENED

COMIDAS QUE FAZEM MAL

ÁLCOOL

O sedativo mais comumente utilizado como automedicação é o álcool, mas seu efeito no sono é complicado e é uma espécie de faca de dois gumes. É verdade que um pouco de álcool pode ajudá-lo a relaxar, mas mesmo em pequenas quantidades pode causar um sono fragmentado e ser considerado um ladrão de sono disfarçado.

Apesar de uma dose aparentemente inofensiva ajudar a princípio, também pode causar efeitos colaterais, fazendo com que acorde durante a noite devido à desidratação ou à necessidade de ir ao banheiro, e em alguns casos ainda contribuir para a queimação no estômago.

O álcool pode prejudicar a parte restauradora do ciclo do sono, o REM, assim como interferir com o fluxo de cálcio enviado às células nervosas, afetando a região do cérebro que controla a função de dormir.

Se não deseja cortar o álcool completamente, em vez disso mantenha sua ingestão antes de dormir em um patamar mínimo. Desfrute de uma bebida na sua refeição noturna algumas horas antes de se deitar para garantir que cause o menor efeito possível no sono.

COMIDAS PICANTES

Em nossa jornada em busca de uma boa noite de sono, seu curry preferido pode criar obstáculos a todos os bons esforços. Comidas picantes podem causar ou exacerbar a queimação no estômago em pessoas propensas à indigestão. Independentemente do quanto você gosta destas comidas, é necessário ser realista quando decidir o que comer, e se for mais propenso à indigestão é melhor evitá-las.

CAFEÍNA

Evite cafeína... isso é óbvio, não é? Estamos todos cientes do efeito estimulante fornecido pela cafeína, razão pela qual é uma bebida tão popular de manhã para nos prepararmos para o dia à frente.

Cafeína é um estimulante que bloqueia as substâncias químicas no cérebro que o deixam sonolento. Não é encontrada só no café, mas também no chá, em refrigerantes e chocolate. A cafeína pode permanecer no corpo pelo período de três a cinco horas, mas em algumas pessoas os efeitos ainda podem ser vistos 12 horas após o consumo. Nem todo mundo tem a mesma reação à cafeína, porém, e isso se deve a um gene chamado CYPIA2, que controla a enzima que determina a velocidade com que a metaboliza. Se for sortudo o bastante para ter a variante veloz do gene, você metaboliza cafeína quatro vezes mais rápido que aqueles com a variante lenta.

Independentemente do fato de ser sensível ou não à cafeína, em favor do sono vale a pena evitá-la pelo período de seis a oito horas antes de ir para a cama, enquanto estabelece seu ritual do sono. Ao completar seus diários do sono, você vai poder perceber o efeito da cafeína em seu padrão de dormir.

Em vez disso, guarde a dose de cafeína para a manhã, como um empurrãozinho para o seu dia. Depois do meio-dia, mude para bebidas quentes descafeinadas como chá de Rooibos, ou para algo com um efeito mais energizante como chá de gengibre ou ginseng. Ervas como erva-cidreira, valeriana e camomila têm sido utilizadas há muito tempo devido a seus efeitos tranquilizantes e são uma boa opção antes de ir para a cama.

TIRAMINA

Todos escutamos a antiga história de que comer queijo antes de dormir causa pesadelos. O negócio com histórias antigas é que frequentemente há um pouco de verdade por trás delas. Pesquisas mostraram que talvez realmente haja algo por trás desta. Queijo, assim como outras comidas como bacon, presunto, berinjela, pepperoni, abacate, nozes, molho shoyo e vinho tinto contêm um aminoácido chamado tiramina. Este aminoácido é um gatilho comum para pessoas que sofrem com enxaquecas, mas também pode inibir o sono, já que causa a liberação de um hormônio chamado norepinefrina, que pode estimular o cérebro.

GOODALL, BACKHOUSE & Co
LEEDS.
"OUR TRADE-
CAUTION, SEE THAT COVER OF CA
SEAL BRAND
JAVA
MOCHA
COFFEE
CHASE & SANBORN
BOSTON
FRANCO AMERI
FOO
FREN
SOU
A. BIA
OFFICE & FACTORY
WEST B'WAY. N
MOCK TUR
CURTICE BROTHERS CO.
PRESERVERS
ROCHESTER, N.Y.
BLUE LABEL
TOMATO
KETCHUP
CURTICE BROTHERS CO.
ROCHESTER, N.Y. U.S.A.
CIRAGE FRANÇAIS
OR
FRENCH
DRESSING
FOR
LADIES' AND
CHILDRENS
BOOTS & SHOES
TRUNKS, HARNESS.
B. F. Brown
BOSTON, MASS
PURIT
CUP
ENGLAND
NCE MEAT
E. DOUGHERTY,

Estas comidas não vão definitivamente impedi-lo de dormir, mas se quiser investigar o efeito da dieta no sono, então experimente-as para ver se parecem causar algum impacto, cortando-as e reintroduzindo-as.. Corte apenas uma por vez para ajudar a visualizar seu impacto em potencial no sono.

AÇÚCAR

Pesquisas sobre comida e nutrição mostraram que adultos comem o dobro da quantidade recomendada de seis colheres de chá de açúcar por dia. Açúcar branco é chamado de açúcar "livre", que é encontrado em todos os adoçantes (incluindo mel, agave e xaropes de frutas). Os maiores contribuintes para elevar os níveis de açúcar na dieta são refrigerantes e açúcar de mesa (usado em comidas e bebidas), seguido de confeitos, pudins e sobremesas.

Comer grandes quantidades de açúcar durante o dia pode causar impactos na qualidade do sono durante a noite e afastá-lo de um sono profundo. Um estudo mostrou que o alto teor de consumo de açúcar levou a menos sonos profundos e mais despertares. Além disso, o açúcar reduz a atividade das células hipocretinas, que estimulam partes do cérebro que produzem dopamina e norepinefrina, dois hormônios que nos mantêm ativos e fisicamente móveis.

Pesquisadores da Universidade de Cambridge descobriram que células hipocretinas são sensíveis a níveis de glucose, o que significa que quando se tem níveis altos de glucose no sangue a atividade delas é reduzida e você pode se sentir sonolento. Quedas de energia durante o dia são uma parte natural do ritmo circadiano, mas aumentá-las com açúcar demais pode estimular a tirar sonecas durante o dia, o que pode causar impacto em seu sono mais tarde, à noite.

De forma interessante, a mesma pesquisa também descobriu que aminoácidos (proteínas) podem não só estimular as células hipocretinas, mas também prevenir que a glucose iniba seu funcionamento. Isso significa que optar por um almoço ou lanche rico em proteínas pode ajudar a prevenir quedas debilitantes de energia no meio da tarde, o que se manifesta de forma mais pronunciada naqueles que sofrem de privação de sono.

Fig. 477. — Chou-fleur.

Fig. 478.
Choux de Bruxelles.

Fig. 481. — Barbe de Capucin.

Fig. 482.
Mâche ou Douc

frisée.

Fig. 487.
Asperges.

Fig. 488.
Griffes ou rhizome

Fig. 486.
Céleri rave.

Fig. 490. — Persil.

COMIDAS QUE FAZEM BEM

TRIPTOFANO

Sementes (de girassol, abóbora, cânhamo, chia), frutos com casca dura (castanha de caju, amêndoa, avelã), comidas de soja (grãos de soja, leite de soja, tofu), bananas, queijo, carne (de boi, carneiro, porco), aves (peru, frango), peixes oleosos (salmão, atum, truta), pratos de aveia, feijão, lentilha e ovos.

Triptofano é um aminoácido essencial que precisa ser obtido através da dieta, já que o corpo não o produz. É necessário para fazer melatonina no cérebro, que é o hormônio que ajuda a fazê-lo sentir-se sonolento e pronto para dormir. Este aminoácido tem muita competição para conseguir atravessar a barreira entre o sangue e o cérebro, mas incluir comidas ricas em carboidratos como massas, arroz e batatas pode aumentar sua ingestão. Estas comidas elevam o hormônio insulina, que ajuda a ingestão de triptofano de várias formas, como ao reduzir os níveis de outros aminoácidos que competem com ele por meios de transporte para o cérebro. Quando estiver planejando o que comer, uma combinação de comidas ricas em triptofano e repletas de carboidratos pode ser a opção perfeita para uma refeição noturna.

VITAMINA B6

Grãos e lentilhas (grão de bico, lentilha marrom), fígado, peixes oleosos (salmão, atum, truta), carne (de boi, carneiro, porco), aves (peru, frango), bananas, comidas de soja (grãos de soja, leite de soja, tofu).

Um dos papéis da vitamina B6 no corpo é a produção de melatonina, que é o hormônio que controla o ciclo entre dormir e acordar. No geral, muitos de nós conseguem vitamina B6 suficiente, já que está presente em muitas comidas, mas ela também se exaure facilmente devido a estresse ou ingestão excessiva de álcool. Quando estiver planejando sua dieta do sono, certifique-se de incluir o bastante de comidas ricas em vitamina B6 para manter os níveis altos.

MAGNÉSIO

Vegetais de folhas verde-escuro (couve, espinafre, brotos), sementes (de girassol, abóbora, cânhamo, chia), feijões e leguminosas (feijão vermelho, grão de bico, grãos de soja), lentilhas, peixes oleosos (salmão, atum truta), grãos integrais e pseudogrãos (quinoa, arroz integral, triguilho, massas integrais e pão), frutos com casca dura (castanha de caju, castanha-do-pará, nozes), cacau (cacau cru, chocolate amargo) e abacate.

Este mineral é um dos mais abundantes no corpo e tem muitas funções, incluindo a manutenção dos ossos e do funcionamento do cérebro, coração e músculos. O magnésio ativa o sistema nervoso parassimpático, que é responsável pelo relaxamento. Este mineral se liga a receptores gama-aminobutírico (GABA), responsáveis por acalmar a atividade nervosa e, ao fazer isso, pode ajudar a preparar o corpo para dormir. O magnésio também regula a melatonina, que guia os ciclos entre dormir e acordar no corpo. Inclua o bastante de alimentos ricos em magnésio da lista acima em sua dieta.

CÁLCIO

Laticínios (leite, iogurte, queijo), tofu, alternativas fortificadas de leite incluindo leites de soja e amêndoas, vegetais de folhas verde-escuras (couve, espinafre, brotos), feijões e leguminosas (feijão vermelho, grão de bico, grãos de soja), frutas secas, temperos secos, peixes enlatados (salmão, sardinha, anchova), abóboras (Butternut, bolota) e crustáceos (caranguejo, lagosta, camarão).

Cálcio é um mineral necessário para converter triptofano em melatonina, e uma pesquisa publicada na revista *European Neurology* descobriu que perturbações no sono, especialmente durante a fase REM, podem estar relacionadas a níveis baixos de cálcio. Certifique-se de incluir uma boa dose de cálcio através dos alimentos citados acima.

B
C
G
N
M
E
C
I
C
C
IV

ACABE COM MAUS HÁBITOS

SOBREPESO

Estar acima do peso não só é ruim para a saúde, mas também pode afetar o bem-estar mental e a autoconfiança, causando impacto na qualidade do sono. A apneia do sono é uma síndrome frequentemente associada ao sobrepeso, que interfere com os padrões respiratórios e interrompe o sono.

Do outro lado, pesquisas sugerem que a falta de sono pode ser um fator para o ganho de peso. Dormir pouco provoca cansaço e cria uma barreira para exercícios. Estar acordado significa mais tempo e oportunidade para comer. A falta de sono também desequilibra os hormônios que controlam o apetite, o que significa que pessoas com privação de sono podem ter mais fome que aquelas que descansam o bastante toda noite.

Se você está acima do peso, então coloque tentar perder peso como uma prioridade se tem dificuldades para dormir.

QUEIMAÇÃO NO ESTÔMAGO E INDIGESTÃO

A indigestão é uma reclamação comum, mas para algumas pessoas pode ser algo com que têm de lidar diariamente. A condição normalmente é o resultado de uma inflamação no estômago causada por excesso de suco gástrico e pode interromper o sono ou tornar difícil o seu início. Uma das formas mais simples de se esquivar da indigestão é comer refeições menores durante o dia; para auxiliar o sono, você deve tentar comer de duas a três horas antes de ir se deitar. Frutas cítricas, café e chá estimulam uma alta produção de ácidos, então é melhor evitá-los.

Seguir uma dieta com pouca gordura e comer refeições com um bom equilíbrio entre alimentos ricos em amido, proteínas (que estimulam a vesícula biliar a produzir mais bile para auxiliar a digestão) e vegetais é um bom começo. Comidas muitos ricas em gordura podem causar problemas, já que levam um longo tempo para serem digeridas. Incluir peixes oleosos na dieta ajuda, pois os ácidos gordurosos de ômega 3 encontrados nestes peixes colaboram na redução de inflamações e estimulam uma melhor digestão.

Comer sem pressa e mastigar a comida adequadamente pode ajudar a estimular enzimas que auxiliam na digestão. Você também deve evitar bebidas com gás, menta e chocolate, já que podem fazer a parede do estômago relaxar e provocar o refluxo. Vegetais crus também contribuem para a indigestão, então tente evitá-los e opte preferencialmente por vegetais cozidos, mais fáceis de digerir.

INGESTÃO DE LÍQUIDOS

Beber demais antes de dormir pode fazer com que acorde para usar o banheiro, então imponha limites à ingestão de líquidos algumas horas antes de ir se deitar.

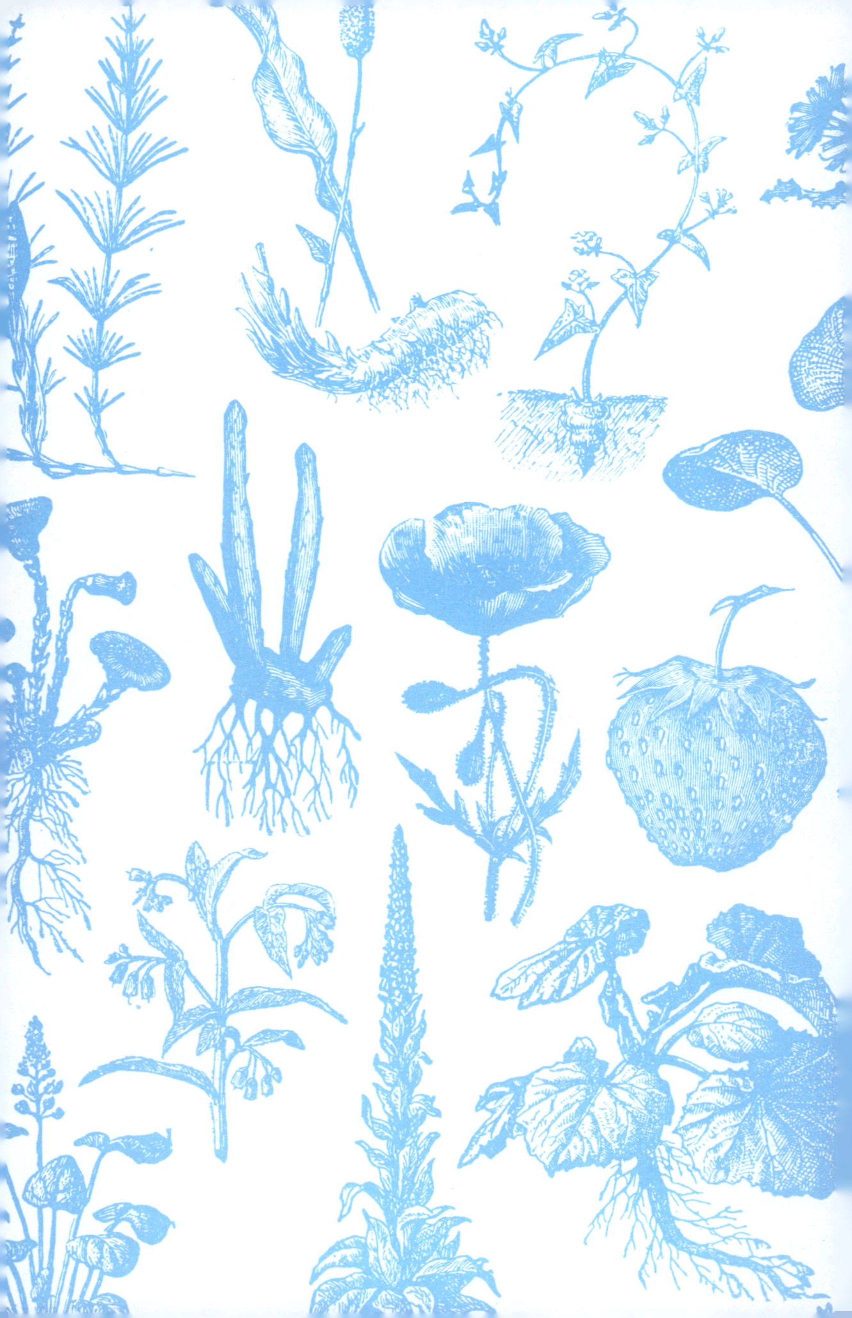

ERVAS E SUPLEMENTOS

Suplementos são uma forma útil de cobrir quaisquer lacunas na dieta que possam estar causando impacto em sua capacidade de dormir e, em alguns casos, certas ervas e micronutrientes (vitaminas e minerais) podem ajudar a induzir o sono.

Se você está procurando algo natural que se compare a um remédio de dormir, pense duas vezes. Acredite em mim, experimentei a maior parte dos suplementos que prometiam uma boa noite de sono e no geral ainda fico deitado na cama contando carneirinhos, esperando que algo "faça efeito". Porém, sou muito a favor de suplementos, e apesar de comida ser minha primeira escolha de nutrição sempre, se utilizados da forma certa, suplementos podem causar um efeito benéfico, mas frequentemente sutil e em sua maioria só funciona se algum nutriente específico está faltando em sua dieta. Se está levando em consideração tomar um suplemento, faça isso por alguns meses e então pare por um mês para ajudar a estabelecer se o impacto dele é benéfico.

MAGNÉSIO

O magnésio está envolvido na regulação da melatonina e um estudo publicado na revista *Journal of Review of Medical Sciences* mostrou que tomar um suplemento de magnésio ajuda a melhorar os níveis de melatonina, o tempo e a eficiência do sono (redução de vezes em que se acorda durante a noite).

Suplementos de magnésio muitas vezes são utilizados como uma forma de estimular o sono, aliviando músculos doloridos e equilibrando o humor, especialmente para mulheres com TPM e durante a menopausa.

A *National Diet and Nutrition Survey*[3] conduzida no Reino Unido tem destacado uma ingestão insuficiente de magnésio em 13 por cento dos adultos, e garotas adolescentes são uma preocupação em particular, com 50 por cento demonstrando ingestão bastante baixa deste mineral na dieta. Além disso, pesquisas demonstraram que só somos capazes de absorver cerca de 50 por cento do magnésio dos alimentos que comemos. O estresse também afeta as exigências do corpo por magnésio e níveis baixos, como foi demonstrado, perturbam o sono, além de causar impacto no cansaço e na fadiga.

---

3   N. T.: Instituto governamental britânico de pesquisa sobre dietas e nutrição.

Tente tomar um suplemento de magnésio (375mg) antes de ir para a cama. O magnésio também pode ser absorvido pela pele, então utilizar sais de magnésio na banheira antes de ir deitar também pode ajudar.

5-HTP

O 5-hidroxitriptofano (5-HTP) é um aminoácido único encontrado naturalmente na planta medicinal do oeste da África *Griffonia simplicifolia*. Como mencionado, o triptofano está envolvido na produção da substância química cerebral melatonina, que ajuda a regular o sono.

O 5-HTP parece melhorar a arquitetura do sono estendendo o tempo dispendido no REM, então em teoria ajuda a acordar mais renovado. Pesquisas mostraram como o 5-HTP pode ser particularmente útil para perturbações do sono associadas à fibromialgia (uma condição que é caracterizada por dores musculares e ósseas assim como fraqueza generalizada), já que pode ajudar a diminuir a percepção de dor.

Como com todos os suplementos, é necessário dar um tempo ao 5-HTP antes de perceber qualquer efeito. Comece com 100mg toda noite, aumentando até um máximo de 300mg e o utilize por três meses antes de revisar o seu impacto.

VALERIANA

Esta tradicional erva medicinal é associada ao tratamento de estresse, mas também pode auxiliar no sono. O efeito sedativo da valeriana se deve à inibição de enzimas que quebram uma substância química do cérebro chamada GABA, o ácido gama-aminobutírico. Quando os níveis de GABA se elevam, isto diminui o estímulo elevado que pode causar pensamentos guiados pela ansiedade e impedi-lo de dormir. Tem sido demonstrado que a valeriana é particularmente útil para mulheres durante a menopausa.

A valeriana está disponível em cápsulas, extratos e chás. Se está usando os extratos ou chás, estes têm um cheiro um tanto pungente que demanda um certo tempo para se acostumar.

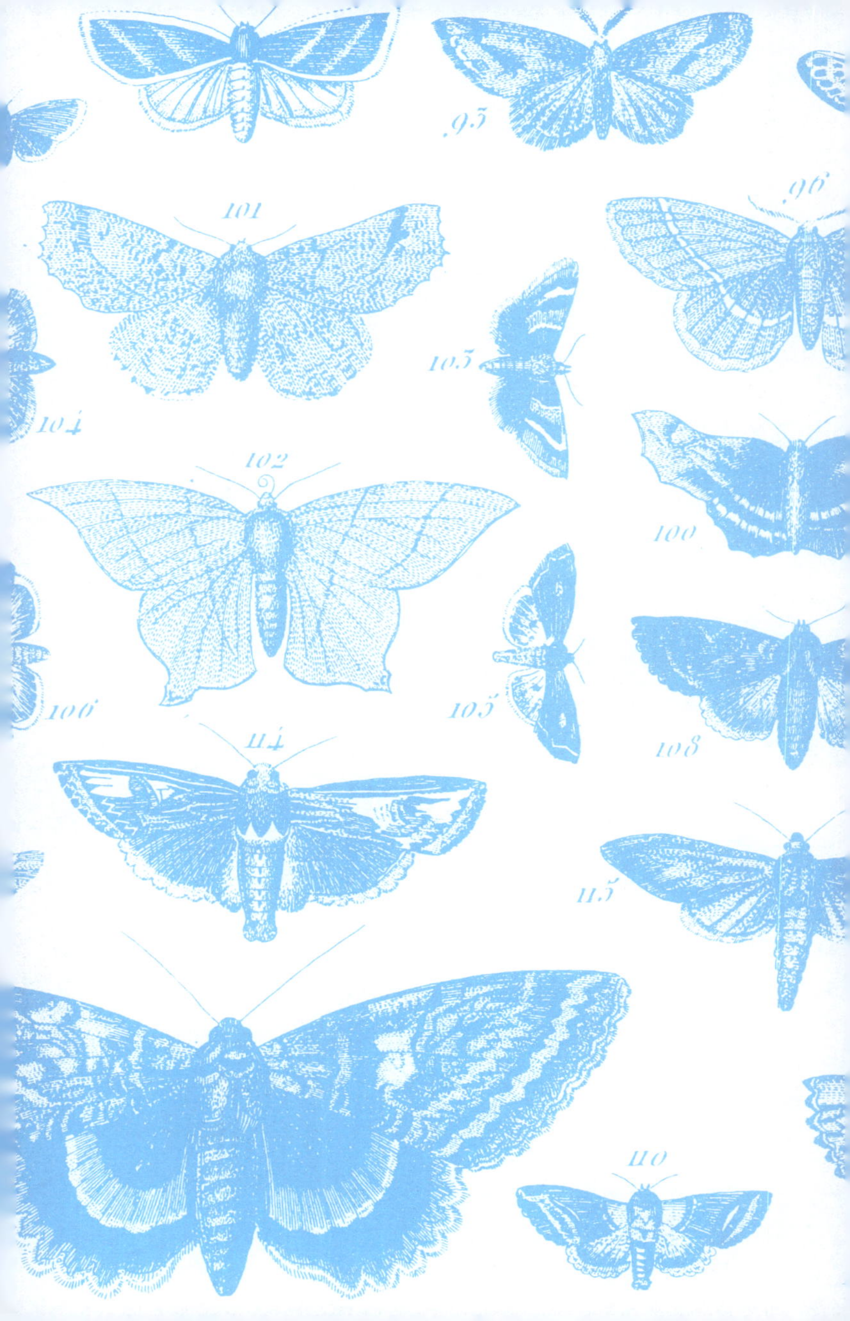

93
96
101
103
104
102
100
106
105
108
114
115
110

PLANEJAMENTO É TUDO!

Você deve ter como objetivo comer três refeições nutritivas todo dia. Quando estiver planejando o que comer, mantenha em mente as comidas mencionadas na seção anterior – tanto as que fazem mal quanto as que fazem bem.

Também leve em consideração quaisquer bebidas como álcool ou café que possam ter se destacado em seu diário do sono.

Certifique-se de ter ideias de lanches saudáveis à mão se precisar pular uma refeição ou passar longos períodos sem comer. Em ambos os casos isso diminui as oportunidades de retirar nutrientes essenciais da dieta e deixá-lo sem a energia necessária para atravessar o dia. Porém, lembre-se, se você está comendo três refeições nutritivas por dia então não há necessidade de lanchar, a menos que seu estilo de vida requeira mais energia. Lanches prejudiciais à saúde, especialmente centrados em alimentos e bebidas repletos de açúcar, podem contribuir para o ganho de peso e também elevar desequilíbrios de açúcar no sangue que podem causar impacto no nível de energia.

Quando estiver planejando sua dieta, também leve em consideração quando vai comer a última refeição do dia (espera-se que uma cheia de nutrientes que promovam o sono) para ajudar a ter uma boa noite de sono. Você pode, por exemplo, escolher comer mais tarde e uma refeição menor se está atrasado no dia. Também se lembre daquelas comidas que podem causar impacto na indigestão e leve isso em consideração quando estiver planejando o que comer antes da hora de dormir.

Planejar a dieta com antecedência é uma boa forma de garantir que tenha tudo armazenado para elaborar refeições amigáveis ao sono, e tente se prender ao planejamento o máximo possível, mas não seja tão duro consigo mesmo se a vida criar obstáculos – vai acontecer!

Aqui estão alguns exemplos de como incorporar alimentos mais amigáveis ao sono em sua dieta diária.

CAFÉ DA MANHÃ

- **Iogurte com nozes, sementes e frutas secas** *(rico em cálcio, magnésio e B6)*
- **Ovos mexidos com espinafre** *(rico em magnésio, B6 e triptofano)*
- **Smoothie de café da manhã feito com leite de soja fortificado, frutas em geral e aveia** *(rico em triptofano, magnésio, cálcio e B6)*
- **Torrada de pão integral com abacate** *(rico em magnésio, B6 e triptofano)*

ALMOÇO

- **Salada grega com pão árabe integral** *(rico em cálcio, triptofano, B6 e carboidratos)*
- **Wrap de frango e salada** *(rico em B6, triptofano e carboidratos)*
- **Salada de feijões ou grãos integrais com proteína como frango, atum enlatado, queijo haloumi ou tofu grelhado** *(rico em triptofano, B6, cálcio e carboidratos)*
- **Fritada de vegetais como batata doce ou pimentas e opção entre queijo de cabra ou feta** *(rico em cálcio, triptofano e B6)*

REFEIÇÕES DA NOITE

- **Tofu refogado com macarrão de trigo sarraceno, quinoa ou arroz integral** *(rico em magnésio, cálcio, B6, triptofano e carboidratos)*
- **Espaguete integral com molho à bolonhesa** *(rico em B6, triptofano e carboidratos)*
- **Risoto de cogumelos feito com arroz ou trigo vermelho** *(rico em B6, magnésio e carboidratos)*
- **Frango assado com batata assada e vegetais multicoloridos** *(rico em magnésio, B6, triptofano e carboidratos)*

LANCHES

- **Castanha de caju** *(rico em magnésio e B6)*
- **Iogurte simples com frutas em geral** *(rico em cálcio, B6 e triptofano)*
- **Fatias de peru finas com pães integrais torrados** *(rico em B6, triptofano e magnésio)*
- **Queijo e bolos integrais** *(ricos em B6, cálcio, triptofano e carboidratos)*

TÔNICAS DO SONO

LEITE DE CASTANHA DE CAJU COM CACAU

Serve 2

Este achocolatado feito em casa é carregado de magnésio, o que ajuda os músculos a relaxarem e facilita a produção de melatonina no cérebro.

150g de castanhas de caju cruas
800ml de água
3 colheres razoáveis de sopa de pó de cacau cru
1 colher de sopa de mel (ou xarope de bordo, se for vegano)
1 fava de baunilha, sem sementes (opcional)
Pitada de sal marinho

1. Mergulhe as castanhas em uma bacia d'água por 3 horas (ou você pode deixá-las mergulhadas durante a noite no dia anterior).
2. Seque as castanhas e coloque-as no liquidificador com os 800ml de água fresca.
3. Acrescente o resto dos ingredientes e misture-os no liquidificador por um minuto no máximo ou até ficar completamente suave.
4. Armazene-o por até três dias em uma garrafa limpa de vidro na geladeira ou sirva imediatamente (melhor servido bastante resfriado).

CHAI COM LEITE DE AMÊNDOAS MORNO

Serve 2

Este leite feito em casa é repleto de magnésio para estimular os músculos do corpo a relaxar e componentes que ajudam a reduzir inflamações, o que é um dos aspectos negativos de não dormir por um período prolongado.

500ml de leite de amêndoas
½ colher de chá de açafrão moído
½ colher de chá de canela em pó
½ colher de chá de vagens de
cardamomo moídas
2 colheres de chá de mel
Pequena pitada de sal marinho

1. Junte todos os ingredientes em uma pequena panela ou caçarola e coloque o fogo em temperatura média.
2. Aqueça o leite lentamente e tenha cuidado para não deixar ferver.
3. Assim que estiver morno, sirva em canecas pequenas.

CHÁ DE ERVA-CIDREIRA, LAVANDA E RAÍZES DE ALCAÇUZ

Serve 2

Erva-cidreira e lavanda são duas ervas há muito conhecidas por suas propriedades relaxantes, que podem ajudar a promover o sono antes da hora de dormir. O alcaçuz tem um gosto doce de anis que pode ajudar a reduzir a necessidade de adicionar açúcar a bebidas.

1 colher de sopa de erva-cidreira seca
1 colher de sopa de folhas de hortelã-pimenta secas
1 colher de chá de sementes de erva-doce
1 colher de chá de pétalas de rosa secas
1 colher de chá de flores de lavanda secas
2 fatias de raízes de alcaçuz secas
Mel a gosto

1. Coloque todos os ingredientes em um bule e então o complete com água fervendo.
2. Deixe descansar por 5 minutos e então sirva através de um coador de chá (a menos que tenha um bule de difusão).

CAPÍTULO SETE

atenção plena

"Dormir é a melhor meditação."

Dalai Lama

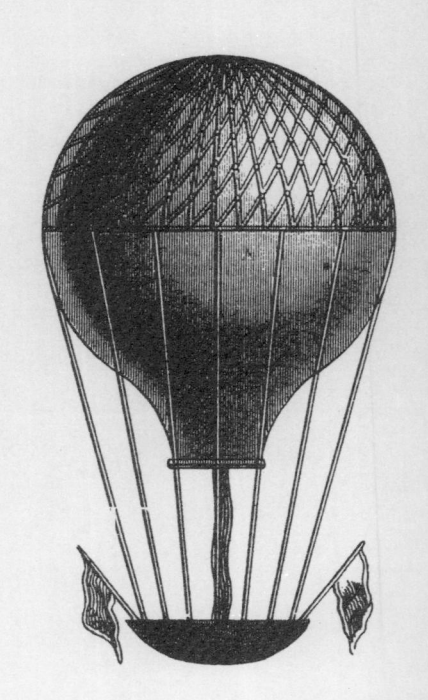

Perdendo o sono por causa disso?

Leia estes três indicadores-chaves para ajudá-lo a decidir se o estresse está na raiz da sua privação de sono.

VOCÊ NÃO CONSEGUE DESLIGAR A MENTE OCUPADA

Você continua remoendo seus estresses, preocupações e frustrações, contemplando-os de vários ângulos. É quase como se estivessem em um loop contínuo que você não consegue desligar, o que interfere com a capacidade de pegar no sono.

VOCÊ ESTÁ TENSIONANDO OS MÚSCULOS

Você está sentindo tensão muscular e dor, ou dores relacionadas a estresse como no pescoço e nos ombros, ou de cabeça, e pode ser difícil cair no sono ou permanecer dormindo. Para complicar ainda mais, dormir mal cria o cenário perfeito para intensificar a tensão e as dores de cabeça, aumentando a sensibilidade à dor no dia seguinte.

SEUS PENSAMENTOS FAZEM O CORAÇÃO DISPARAR

Seu ritmo cardíaco é acelerado e variável, associado a níveis elevados de cortisol (o hormônio do estresse), forte tensão física e alto estímulo autonômico, o que afeta sua capacidade de cair no sono ou de dormir bem.

Se conseguir se identificar com uma ou mais destas razões, tente experimentar técnicas variadas de relaxamento para acalmar a mente e reduzir o estresse.

Faça do relaxamento o seu objetivo, não o dormir

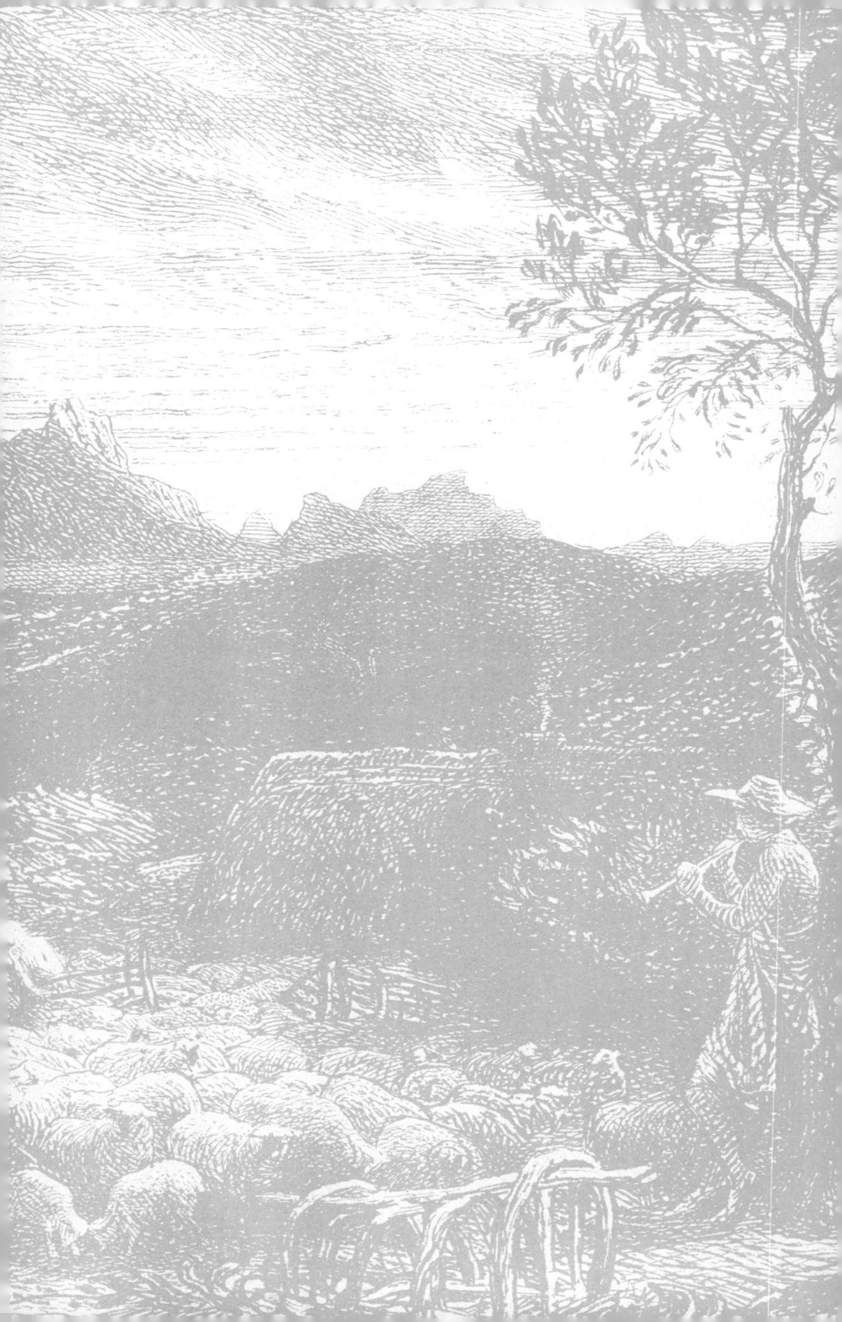

RELAXE TODOS OS MÚSCULOS

Técnicas de relaxamento podem ajudá-lo a alcançar a tranquilidade mental e física, reduzindo a tensão e interrompendo os processos de pensamento que perturbam o sono.

Experimente esta técnica de relaxamento de vinte minutos a qualquer hora do dia, mas particularmente antes de se deitar, para liberar lentamente a tensão de um grupo de músculos por vez...

> Sente-se confortavelmente ou se deite em um lugar quieto, com as mãos descansadas ao seu lado.

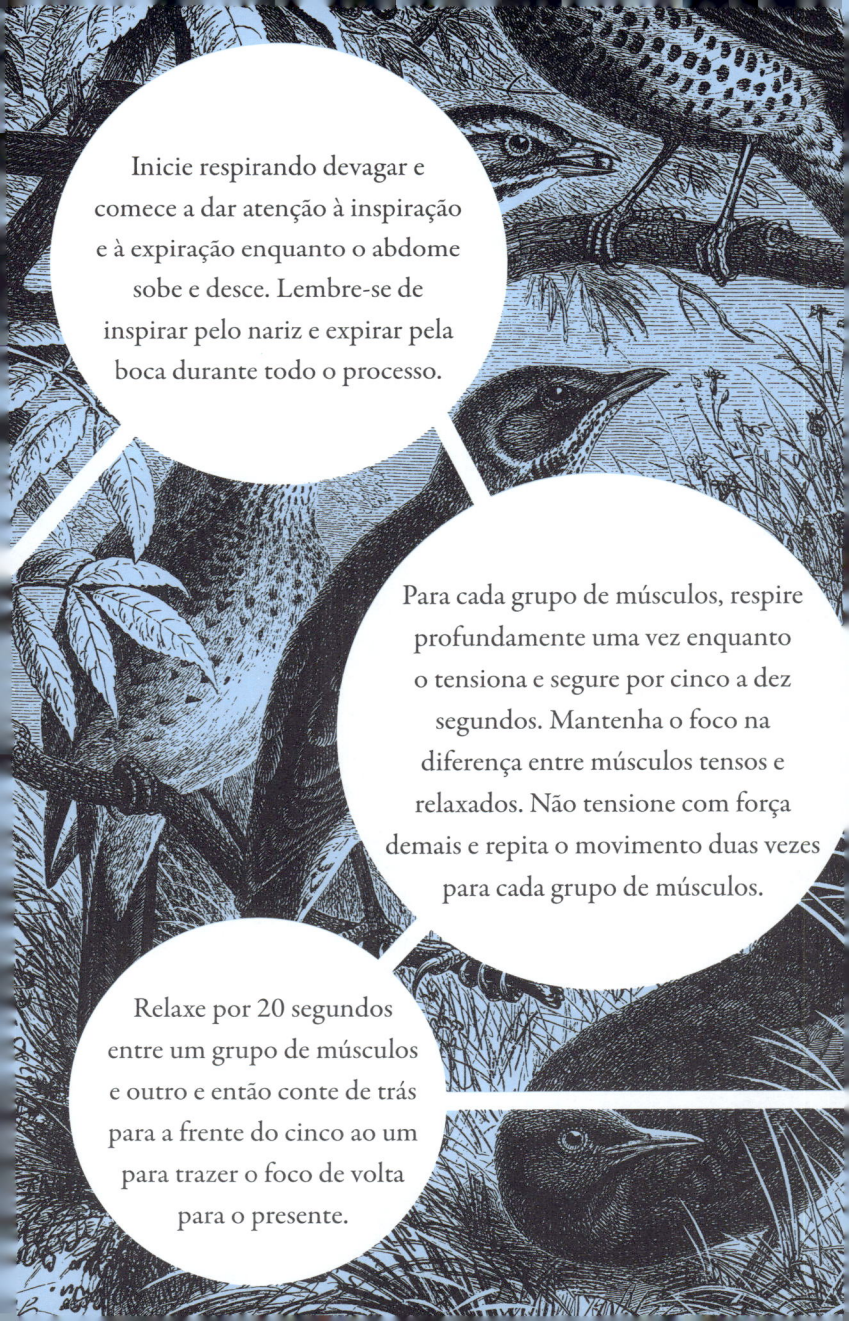

Inicie respirando devagar e comece a dar atenção à inspiração e à expiração enquanto o abdome sobe e desce. Lembre-se de inspirar pelo nariz e expirar pela boca durante todo o processo.

Para cada grupo de músculos, respire profundamente uma vez enquanto o tensiona e segure por cinco a dez segundos. Mantenha o foco na diferença entre músculos tensos e relaxados. Não tensione com força demais e repita o movimento duas vezes para cada grupo de músculos.

Relaxe por 20 segundos entre um grupo de músculos e outro e então conte de trás para a frente do cinco ao um para trazer o foco de volta para o presente.

Pé
Curve os dedos para baixo.

Parte de baixo da perna e pé
Tensione o músculo da panturrilha levantando os dedos dos pés na sua direção.

Perna inteira
Aperte os músculos da coxa e levante os dedos dos pés na sua direção, então repita o movimento com o outro lado do corpo.

Mão
Feche o punho com força.

Braço
Tensione o bíceps levantando o antebraço na direção do ombro para "fazer um muque", enquanto fecha o punho ao mesmo tempo. Então repita o movimento com o outro lado do corpo.

Nádegas
Deixe-as tensas apertando as nádegas uma contra a outra.

Estômago
Puxe o estômago para dentro.

Peito
Inspire profundamente para tensionar o peito.

Pescoço e ombros
Levante os ombros na direção das orelhas.

Boca
Abra a boca o bastante para esticar as articulações da mandíbula.

Olhos
Feche as pálpebras com força.

Testa
Levante as sobrancelhas o máximo que puder.

A MATÉRIA DOS SONHOS

Visualizar o nirvana pessoal é um exercício válido que pode ajudá-lo a se descontrair, aliviar o estresse e cair no sono. Diferentemente da meditação, quanto mais a mente e a respiração são guiadas em uma direção específica para se alcançar um resultado desejado, mais ativa é a visualização. Esta técnica ajuda a direcionar a atenção para longe dos pensamentos que possam estar causando estresse e ansiedade, associando sensações de relaxamento a imagens pacíficas na mente.

Para começar, encontre um lugar quieto e livre de distrações e fique confortável. Respire profundamente algumas vezes e então feche os olhos. Visualize-se em um lugar onde tudo é ideal para você e se imagine ficando calmo e relaxado ou se sentindo feliz e despreocupado. Mantenha o foco em cada elemento sensorial do seu cenário para criar uma imagem vívida e aproveite o tempo para explorar estes elementos na mente até se sentir relaxado. Fixe-se nesta imagem e garanta para si mesmo que pode voltar a este lugar para se ajudar a relaxar antes de abrir os olhos.

Fig.14.
Fig.7.
Fig.12.
Fig.1
13. k

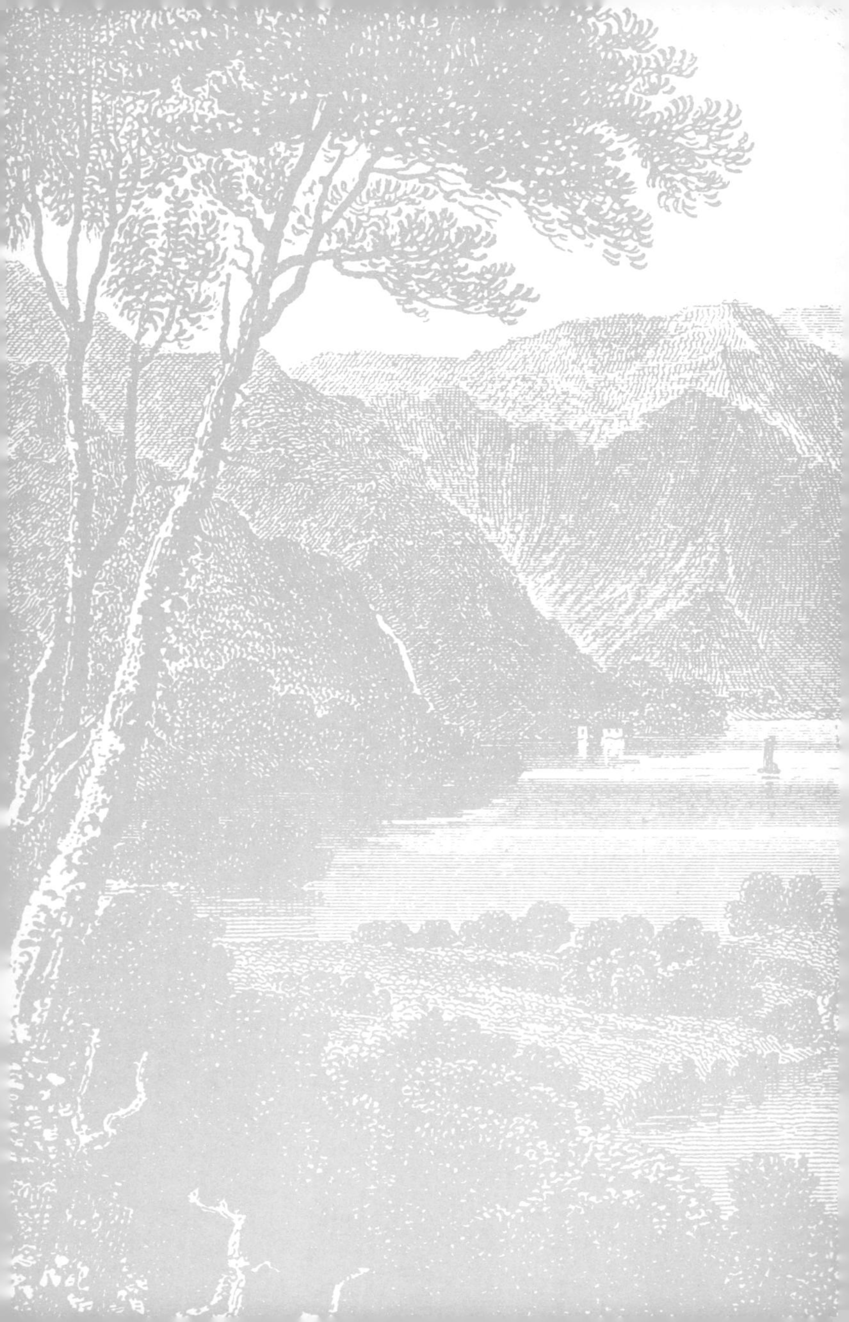

Visualizações guiadas como nos exemplos a seguir podem ajudar a conduzi-lo na técnica para começar. Continuando a praticar, você conseguirá alcançar um resultado mais profundo e de forma mais rápida. Os exemplos a seguir são breves, e é possível encontrar roteiros longos na internet. Também há vários aplicativos disponíveis para ajudá-lo a percorrer o caminho da visualização guiada.

Lembre-se de respirar profundamente durante estes exercícios. Mantenha o foco em respirar pelo diafragma colocando a mão na barriga para sentir a elevação da inspiração e a descida da expiração.

Coloque a outra mão na parte de cima do peito para garantir que esteja estático. A maioria de nós respira pelo peito, o que pode manter a resposta de estresse.

Respirar profundamente dispara o sistema nervoso parassimpático para acalmar e colocar o corpo em um estado estável.

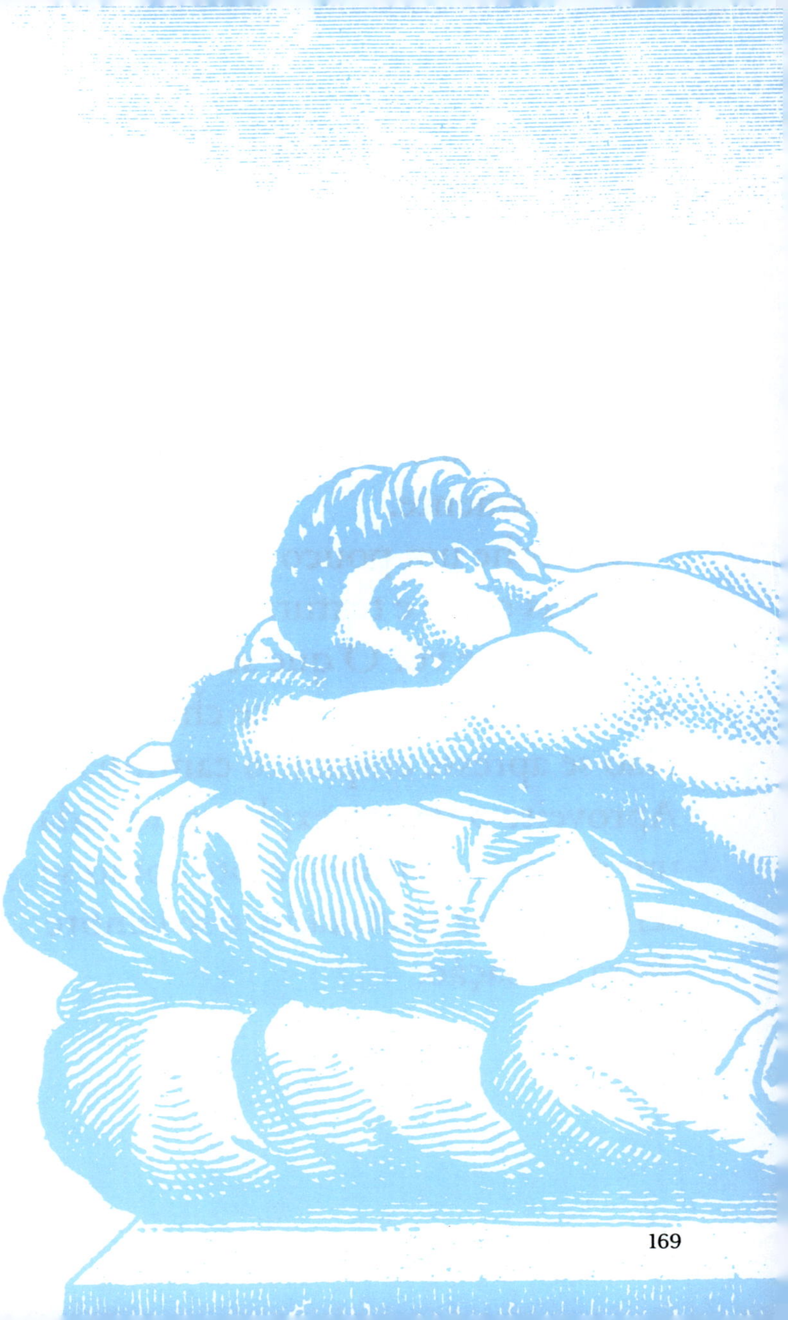

SEU LUGAR ESPECIAL

Escolha seu lugar preferido, um onde se sinta calmo e seguro. Pode ser um jardim, uma cachoeira, um quarto, ou qualquer lugar que queira. Agora, feche os olhos, visualize-se lá e relaxe respirando profundamente.

Caminhe um pouco pelo lugar e note as cores e texturas à sua volta. O que vê? O que sente? O que escuta? De que sente cheiro? Não se apresse enquanto caminha. Aproveite o tempo explorando cada um dos seus sentidos. Note como se sente em paz e relaxado, e se lembre desta sensação.

Diga para si mesmo: "Estou relaxado, meu corpo está quente e pesado, estou seguro aqui". Aproveite a sensação de relaxamento profundo. Quando estiver pronto, abra os olhos suavemente e volte ao momento presente.

UM DIA NA PRAIA

Imagine que é um dia bonito e ensolarado e que está caminhando pela praia.

Agora, feche os olhos, visualize-se lá e relaxe respirando profundamente.

O céu está azul, a água cristalina, você escuta o som de ondas suaves enquanto uma brisa calma acaricia a sua pele.

A areia branca está morna em seus pés descalços e faz cócegas entre seus dedos.

Você está vestindo roupas leves que flutuam ao vento e respirando profundamente, inspirando o cheiro do ar fresco do oceano...

Uma sensação de liberdade lava seu corpo, você se deita e deixa o corpo afundar na areia morna e macia.

Abandone qualquer tensão e faça menos força nos olhos enquanto continua a respirar em sincronia com as ondas.

Você afunda cada vez mais no relaxamento...

Diga para si mesmo: "Estou relaxado, meu corpo está quente e pesado, estou seguro aqui".

NÃO SE ESQUEÇA DE RESPIRAR

Existem muitos exercícios de respiração úteis para relaxar antes da hora de dormir, como esta técnica simples de 4-7-8 desenvolvida pelo dr. Weil. A parte mais importante deste processo é prender a respiração, pois isso permite que o oxigênio encha os pulmões e circule pelo corpo, produzindo um efeito relaxante por todo ele.

- Coloque a ponta da língua contra a gengiva atrás dos dentes de cima, então expire fazendo barulho de vento.
- Respire em silêncio pelo nariz por quatro segundos.
- Prenda a respiração por sete segundos.
- Expire pela boca por oito segundos, fazendo barulho de vento.
- Repita quatro vezes.

CAPÍTULO OITO

ritual

A ARTE DE DORMIR

Quer tenha lido este pequeno livro do começo ao fim ou apenas passado os olhos, espero que o tenha ajudado a entender mais sobre por que e como dormimos.

Agora que tem mais conhecimento acerca do seu próprio cenário de sono, você pode adaptar o comportamento, ambiente e dieta para desenvolver um ritual de sono único.

Não entre em pânico se ainda tiver dificuldade para cair no sono. Lembre--se, descansar e relaxar (embora não sejam substitutos para dormir) ainda ajudam a rejuvenescer o corpo. O verdadeiro segredo da arte de dormir é encontrar um ritual que funcione melhor para você.

Fig. 34

d
a
b
Widder
Fische
März
Februar
Januar
Wassermann

AGRADECIMENTOS

Sou imensamente grato à minha maravilhosa agente literária Dorie Simmonds por me incentivar para fazer este livro decolar! Sua tenacidade e confiança em mim levou à publicação deste livrinho. Obrigado a toda a equipe da HQ pelo trabalho perseverante e pela contribuição criativa que tornou este livro visualmente lindo e, em particular, a Steve Wells, que fez o *design* e o *layout* que deram vida a este livro. Agradeço também a Charlotte Mursell por sua orientação e direção, mantendo tudo nos trilhos. Por fim, agradeço a todos os especialistas e pessoas que não dormem e que compartilharam suas ideias e conhecimentos comigo sobre todas as coisas que nos fazem dormir.

SOBRE ROB HOBSON

Rob Hobson é formado em nutrição com mestrado em nutrição em saúde pública e com mais de 12 anos de experiência. Seu trabalho abrange da saúde pública, trabalhando no Sistema Nacional de Saúde Britânico às organizações de caridade. Na indústria, trabalha com as principais marcas de saúde e bem-estar do Reino Unido. Seus artigos são frequentemente publicados nas mídias sobre saúde do Reino Unido, e escreveu centenas de artigos para publicações tais como *Daily Mail*, *Daily Express* e *Women's Health,* além de ser presença constante na rádio e na TV. Rob é co-autor do livro de enorme sucesso, *Th e Detox Kitchen Bible,* que foi traduzido para vários idiomas. É apaixonado por saúde e sua abordagem simples e realista para viver bem é contagiante, resultado de seu conhecimento especializado e de sua experiência pessoal. Rob compartilha essa paixão com clientes particulares em todo o mundo, trabalhando como nutricionista, chef de alimentação saudável e *coach* do sono.

https://www.facebook.com/GryphusEditora/

twitter.com/gryphuseditora

www.bloggryphus.blogspot.com

www.gryphus.com.br

Este livro foi diagramado utilizando as fontes Perpetua e
Garamond Premier Pro
e impresso pela Gráfica Walprint, em papel off-set LD 90 g/m²
e a capa em papel cartão triplex LD 250 g/m².